PENSAMENTO SAUDÁVEL

Como pegar o limão que a vida lhe dá e fazer uma limonada

DR. MULHOLLAND

EDITORA FUNDAMENTO

2015, Editora Fundamento Educacional Ltda.

Editor e edição de texto: Editora Fundamento
Editoração eletrônica: Desdobra Design Ltda. (Lorenzo Andreola)
Bella Ventura Eventos Ltda. (Lorena do Rocio Mariotto)
CTP e impressão: Centro de Estudos Vida e Consciência e Edit. Ltda.
Tradução: Hélio Magri Filho
Arte da capa: Silvana Mattievich Design
Zuleika Iamashita

Dados Internacionais de Catalogação na Publicação (CIP)
(Câmara Brasileira do Livro, SP, Brasil)

Mulholland, Tom
Pensamento saudável / Dr. Tom Mulholland; [versão brasileira da editora] – 2. ed. – São Paulo, SP : Editora Fundamento Educacional Ltda., 2015.

Título original : Healthy thinking

1. Autoajuda 2. Autoanálise (Psicanálise) 3. Felicidade 4. Motivação (Psicologia) 5. Mudanças de vida 6. Sucesso I. Título

07-7499 CDD - 158.1

Índice para catálogo sistemático:
1. Autoanálise: Desenvolvimento pessoal: Psicologia aplicada 158.1

Fundação Biblioteca Nacional

Depósito legal na Biblioteca Nacional, conforme Decreto nº 1.825, de dezembro de 1907.

Impresso no Brasil

Telefone: (41) 3015 9700
E-mail: info@editorafundamento.com.br
Site: www.editorafundamento.com.br

Este livro foi impresso em papel pólen soft 80 g/m² e a capa em papel-cartão 250 g/m².

SUMÁRIO

Prefácio do Professor Peter Yellowlees *5*
Introdução *7*

Parte 01. MINHA JORNADA ATÉ O PENSAMENTO SAUDÁVEL *9*
01. Tristeza *10*
02. A primeira onda gigante *14*
03. Viva o seu sonho, não sonhe a sua vida *22*
04. Capital de risco – a segunda onda gigante *38*
05. Desespero e depressão – a terceira onda gigante *47*

Parte 02. TÉCNICAS DE PENSAMENTO SAUDÁVEL *59*
06. Pensamento doentio *60*
07. Álgebra emocional *63*
08. Escolha a sua atitude *68*

Parte 03. COMO UTILIZO O PENSAMENTO SAUDÁVEL *77*
09. Pratique, pratique, pratique *78*
10. *Stand-up comedy* – Humor de cara limpa 92
11. Quem precisa de inimigos? 96
12. Às vezes é bom não conseguir o que se quer *100*
13. Novos pensamentos, novas aventuras *103*

Parte 04. COMPORTAMENTOS DE SUCESSO *115*
14. O que é sucesso? *116*
15. Os dez Cs do sucesso *119*

Healthy Thinking™, *Emotional Algebra*™ e *The Attitude Doctor*™ são marcas registradas do Dr. Tom Mulholland. Este livro é dedicado ao Dr. Mike Cox, amigo, piloto e aventureiro, que tirou a própria vida depois de anos de luta contra seus pensamentos.

Isenção de Responsabilidade

As ideias contidas neste livro representam inteiramente as opiniões do autor, médico registrado. Em hipótese alguma podem ser consideradas conselhos individuais. Assim, nem o autor nem os editores aceitam responsabilidade por atos pessoais de qualquer leitor ou pelos resultados de tais atos com base na leitura deste livro. Em caso de depressão, nossa opinião é que se deve sempre consultar um médico.

Agradecimentos

Meus sinceros agradecimentos a meus filhos – Olivia, Thomas, Sammie e Auburne – por terem me ensinado tantas coisas e acompanhado em muitas, muitas aventuras. Ao Dr. William Peters, por ser um amigo tão bom. A Graeme Beals, do Zenith Publishing Group, por seus conhecimentos editoriais e por tornar este livro possível. À minha família, por me oferecer a oportunidade de atingir meus objetivos. Aos pacientes, colegas e clientes, por me ensinarem humildade e humor e me permitirem fazer parte de sua vida. A Warwick Grey e as equipes da Microsoft, Hewlett Packard, Telecom e da Câmara de Comércio, pelo apoio. A esses e a todos os outros, obrigado. Sem vocês não seria possível cumprir a tarefa e me divertir ao mesmo tempo.

Prefácio

PROFESSOR PETER YELLOWLEES

No decorrer dos anos, como professor de psiquiatria, vi muita gente em luta contra os próprios pensamentos e emoções. Os médicos enfrentam os mesmos fatores de estresse e desafios que outras pessoas – e mais alguns, que podem afetar a saúde mental e o desempenho.

Conheço o dr. Tom Mulholland como amigo e colega de profissão. Ele é um entusiasta, um médico e empreendedor bem-sucedido e inteligente – uma daquelas pessoas de talento e carisma, inesquecíveis.

Tom escreveu um livro inspirador, um guia fácil de ler, que ensina a pensar de maneira saudável. Ele usa a própria experiência de altos e baixos nos negócios e na vida pessoal para transformar um dia comum em um grande dia.

Este será um livro útil, tanto para os indivíduos que, apesar de bem-sucedidos, precisam de um ajuste, como para aqueles que enfrentam dificuldades e necessitam de orientação. Nele é possível encontrar motivação e inspiração para as atividades do dia-a-dia, assim como encontrar ajuda para enfrentar os grandes desafios impostos pela vida. Este livro tem o poder de ensinar você a ser feliz e a tomar o caminho do sucesso.

Eu recomendo Pensamento Saudável.

Professor Peter Yellowlees

Austrália

Introdução

Ao procurar um título para este livro, encomendei uma pesquisa com base em dados de publicações. A pessoa que fez isso para mim disse que havia 3 mil livros com a palavra *"healthy"* (saudável) e 2 mil com a palavra *"thinking"* (pensamento) no título, mas nenhum chamado *"Healthy thinking"*.

"Você é mesmo original!", ela disse. Há anos que ouço isso.

Depois de 15 anos atendendo pacientes e ensinando alimentação saudável, estilo de vida saudável e exercícios saudáveis, concluí que faltava um aspecto crucial: o pensamento saudável. Por experiência própria, eu sabia que pensamento doentio causa emoções e atitudes doentias, o que pode levar a um comportamento doentio. Isso também se aplica aos pacientes.

Desenvolvi e ensinei a técnica do pensamento saudável, com resultados surpreendentes. Já que há anos venho praticando o pensamento saudável, achei que era hora de escrever um livro sobre o assunto. Tenho certeza de que a sua vida vai mudar, assim como aconteceu com a minha.

Pensamento saudável é cirurgia no cérebro, sem sangue. Quanto mais você pratica, melhor fica. É grátis, não tem efeitos colaterais e não exige medicação nem equipamento. Bastam os seus pensamentos e as ferramentas a que dou o nome de álgebra emocional.

Você pode mudar a sua atitude para ajustar e eliminar o que chamo de emoções doentias: estresse, raiva, ansiedade, culpa, inveja, ressentimento, rejeição, tristeza, frustração e desapontamento. Estas são um desperdício de tempo e energia, e não levam a lugar algum.

Espero que você adquira as habilidades mencionadas neste

livro, utilizando-as para tornar-se uma pessoa feliz e para aproveitar a vida maravilhosa que pode ter. Depende de você – a única pessoa no mundo que conseguirá mudar. Mas vai notar diferenças nos outros diante de suas novas atitudes.

Este livro não pretende ser um profundo tratado de psicologia ou farmacologia. Destes, já existem muitos. Minha intenção é produzir um manual fácil de ler, com base em minhas experiências como médico, empreendedor, comediante e paciente.

De tudo que fiz na vida, a habilidade de pensar de maneira saudável é o recurso mais poderoso. O pensamento saudável permite que você alcance as suas metas e viva o seu sonho – em vez de sonhar com uma vida que deseja, mas não realiza.

Dr. Tom Mulholland

***The Attitude Doctor* - O Doutor Atitude**

PARTE 1

Minha jornada até o pensamento saudável

Capítulo 1

TRISTEZA

Esta foi a primeira luz que vi no fim do túnel, e não era um trem vindo na minha direção. Descobri que minha tristeza resultava dos meus pensamentos. E decidi me tornar alérgico a ela. Eu pensava de maneira doentia.

Este não é um comentário leviano, simples frase de efeito, mas uma decisão consciente que tomei para evitar me sentir mal. Eu detestava tanto ser triste que busquei a cura, assim como um cão sedento procura água. Foi então que superei o estágio da paralisia.

Tal como um pescoço quebrado, a tristeza pode paralisar. Felizmente, curar a tristeza é muito mais fácil, desde que se saiba como. Foi a pesquisa da cura para a tristeza que me levou a descobrir a técnica do pensamento saudável.

Estar triste, infeliz, estressado ou deprimido é coisa séria. Pode matar. E já matou alguns dos meus amigos, colegas e pacientes, além de milhões de pessoas que não cheguei a conhecer. Portanto, considero perfeitamente razoável – uma medida protetora – desenvolver alergia a tais condições.

A tristeza não é só desagradável; é uma completa perda de tempo. Sentir pena de si não acaba com a tristeza. Normalmente, alimenta.

Existem muitos tratamentos contra a tristeza. Alguns dão certo; outros não. Sei disso porque experimentei a maior parte deles. Tentei aconselhamento, antidepressivos, álcool e até viagens para o exterior. Tomei quase tudo, menos datura, uma planta usada por povos primitivos em rituais místicos e religiosos ou com fins medicinais, porque não conheço ninguém que tenha aguentado uma segunda dose. Os antidepressivos ajudaram, mas não completamente. Algumas sessões de aconselhamento tiveram utilidade, mas a maior parte delas de pouco serviu. Então, assumi a missão de procurar minha cura.

Antes de ser tomado pela tristeza, fui um grande realizador. Formado em medicina, tinha conquistado o *first class honours degree*, com notas entre 85 e 100 em biologia molecular, diploma de medicina esportiva e brevê de piloto. Tinha atuado como guarda florestal e como médico do time de rúgbi de Fiji, sobrevivido a uma grande onda ao surfar em Java, criado empresas bem-sucedidas e recebido prêmios na área dos negócios. Tinha viajado muito e era viciado em adrenalina. Por isso, saltei de aviões, escalei os Alpes do Sul, na Nova Zelândia, estive no Himalaia, viajei para a América Central durante a passagem do furacão Hugo, atravessei florestas, dormi junto a uma lagoa cheia de crocodilos, mergulhei com tubarões no Taiti e participei de várias outras aventuras que fariam Indiana Jones parecer muito tranquilo.

Então, o que me deixava tão triste? Afinal, eu tinha acabado de levantar milhões de dólares em capital de risco para a www.doctorglobal.com. Havia fundado a empresa e investido, para isso, trabalho e dinheiro (meu, dos amigos e dos parentes). Possuía uma bela família, com filhos pequenos, uma bonita casa a poucos minutos de carro dos melhores *points* de surfe e de tudo que eu quisesse (pelo menos, não era longe).

A razão de tanta tristeza foi ter ouvido minha mulher dizer que estava saindo. Não saindo para me comprar um presente ou qualquer outra coisa, mas saindo de casa, acabando com o casamento. Ela não queria mais ser minha mulher.

Minha família e meu sonho se espatifaram, como uma vidraça em um dia frio de inverno. Eu poderia escrever um milhão de livros sobre a experiência que vivi; mas, como em todo caso de alergia, é melhor evitar o agente provocador e seguir em frente. A viagem até a descoberta da cura para aquela crise de alergia à tristeza durou seis meses.

Como médico e cientista, eu tinha trabalhado em pesquisas acadêmicas sobre suicídio, memória na velhice e outros projetos científicos que foram reconhecidos e premiados. Eu era um explorador, no sentido físico e acadêmico. Mas tal como no caso do Santo Graal, sempre faltava alguma coisa. Foi preciso passar por aquele grande revés para ser mandado ao centro da escuridão, ao templo da ruína, em busca da resposta.

A resposta é simples, mas é a mais importante descoberta que fiz na vida. É tão poderosa que considero capaz de mudar o mundo – de evitar guerras, inclusive. E de fazer você feliz, com certeza. Minha descoberta é o pensamento saudável.

> O PENSAMENTO SAUDÁVEL EVITA E TRATA ANSIEDADE, RAIVA, DOENÇA, ESTRESSE, MELANCOLIA E TUDO QUE A MENTE CONSEGUIR CONTROLAR.

Antes, eu já havia praticado o pensamento saudável, embora sem saber, para tratar minha ansiedade durante a prática do surfe. Tal ansiedade surgiu quando fui atingido por uma onda enorme, de 6 metros de altura. Mas voltaremos ao assunto no próximo capítulo.

O pensamento saudável pode ser aliado a outros tratamentos e não causa reações adversas, interações perigosas nem efeitos colaterais (recomendação especial para os leitores médicos). Ele pode tornar você uma pessoa mais feliz, mais saudável e mais bem-sucedida. E pega: é capaz de influenciar aqueles com quem você convive. Além do mais, tem o poder de tornar você, sua família e sua organização mais eficientes.

O pensamento saudável evita e trata ansiedade, raiva, doença, estresse, melancolia e tudo o que a mente conseguir controlar. Já que, na maior parte dos casos, o corpo está sob controle da mente quase o tempo todo, faz sentido manter os pensamentos saudáveis. Assim, tudo o mais se torna saudável.

O mais incrível em relação ao pensamento saudável é que ninguém precisa ser infeliz para pô-lo em prática. Se estiver em um bom dia, você pode usá-lo para ter um dia excelente. Pode usá-lo também para conseguir o que quer. Quando você adota o pensamento doentio, perde em eficiência, e desperdiça tempo e energia.

O pensamento saudável é agradável e criativo. Quanto mais você pratica, melhor fica a vida. E é grátis! Com o pensamento saudável, você cria uma atitude própria.

Se você se sente mal,
o pensamento saudável pode fazer você se sentir bem.

Se você se sente bem,
o pensamento saudável pode fazer você se sentir melhor ainda.

Capítulo 2

A PRIMEIRA ONDA GIGANTE

Adoro surfar. O surfe é meu esporte preferido. Surfei durante os anos de estudo na universidade e viajei pelos quatro cantos do planeta à procura de boas ondas. O surfe mudou minha vida. Escolhi morar no meu atual endereço porque estou perto das melhores ondas do mundo.

Recentemente, fui incluído no livro *New Zealand Surfers: 25 Profiles of Kiwis Who Love to Surf (Surfistas da Nova Zelândia: 25 Perfils de Neozelandeses que Amam Surfar, em tradução livre),* de Luke Williamson. Veja o que ele diz:

Tom é um aventureiro dos negócios, do intelecto e do surfe. Um homem que se propõe a atingir metas grandiosas e que as excede, invariavelmente. Tom não conhece limites. Ele determinou para si uma vida boa e emocionante, que inclui sonhos, família e muito surfe.

A ansiedade, porém, quase me fez parar de surfar. Houve uma época em que o surfe se tornou um pesadelo, e não um sonho.

Em 1995, eu tinha voltado a Grajagan, Java Oriental, como médico de acampamento. G-Land, como é conhecida na legenda do surfe, tem uma famosa onda para a esquerda passando sobre recifes pontiagudos que podem representar risco de vida. Trata-se de um local bastante afastado, nos limites da selva javanesa, onde se encontram escorpiões, tigres, cobras venenosas e malária. Logo descobri como aquele lugar podia ser perigoso.

Os médicos atuam sem receber pagamento. Lá, eles tratam acidentes do dia-a-dia, de quase afogamentos a arranhões causados pelos recifes. Certa vez, suturei sete surfistas em um só dia. No entanto, os benefícios compensavam em muito os riscos. Grajagan é um local maravilhoso e, tal como Pipeline e Tavarua, tem ondas de primeira.

Puma, o administrador, recebeu-me para o segundo ano de trabalho.

– Dr. Tom – ele disse –, pode ficar com a barraca de Gerry Lopez, bem na beira da água.

Em dois dias, aquela barraca receberia o impacto de um tsunami, uma onda de mais de 6 metros de altura, causada por um terremoto na Trincheira de Java. Em consequência, morreram 350 pessoas na baía de Grajagan e em pequenas cidades próximas, e muitas ficaram feridas.

Quando fui apresentado ao surfe de ondas grandes, no ano anterior, recebi ajuda de dois havaianos em um bote inflável para chegar até elas, que alcançavam entre 3 e 5 metros. Na época, eu tinha uma infecção no peito e usava uma prancha pequena (2,20 metros), em comparação aos pranchões de 2,80 metros dos veteranos de Waimea. Estava mal preparado e mal equipado para a montanha de água que se movia mais rapidamente do que um caminhão e explodia sobre recifes rasos e pontiagudos. A empreitada era difícil demais.

Sem fôlego, remei em direção ao paredão – da altura de prédios de três andares – enquanto fiapos de espuma, que mais pareciam plumas, saíam da crista da onda. Minha sobrevivência estava em risco, e comecei a entrar em pânico. Depois de horas, em que só consegui pegar uma onda, cheguei à praia, aliviado por estar em terra firme e vivo.

Um ano mais tarde, com a lembrança do medo das ondas grandes, eu me acomodei na cama da barraca de sapé, a pouco mais de 6 metros do ponto aonde chegava a maré alta. Conhecia as minhas limitações como surfista e estava mais bem preparado e equipado do que no ano anterior. Sentia-me pronto para domar o monstro de Grajagan. Tinha uma prancha maior e o peito em perfeitas condições. Mal podia esperar pelas ondas que a manhã traria. Elas chegaram antes que eu esperava.

À noite, vários surfistas profissionais, entre eles Simon Law, Bob Bain, Shane Herring e Ritchie Lovett, que tinham chegado ao acampamento, falaram de uma grande onda que se aproximava, vinda da Austrália Ocidental. Achei emocionante.

Era meia-noite e fazia 35 graus centígrados, quando me enfiei embaixo do mosquiteiro para dormir. Às 2 horas, fui acordado pelo rugido de uma grande onda, um som que já tinha ouvido muitas vezes, mas nunca tão alto. Primeiro, pensei que ela tivesse quebrado. Mas havia algo de diferente. Normalmente, quando uma onda quebra sobre os recifes, a explosão inicial é seguida de um ruído mais suave, até que a seguinte estoure como um tiro de canhão. No entanto, o som era cada vez mais alto, sem intervalos. Seria uma tempestade tropical? Seria um jumbo vindo de Jacarta?

Neste caso, estaria a baixíssima altitude, e a batida seria iminente. Por instinto, peguei minha maleta de médico, para atender as vítimas. O ruído era ensurdecedor. Cheguei a pensar que o avião pudesse cair em cima de mim. Nunca ouvira nada tão forte. Já estive na pista do aeroporto no momento da decolagem de um 747, e posso afirmar que aquele barulho era pior. Quando senti o chão tremer, tive certeza: não era um avião.

Então, percebi uma presença enorme, como um monstro prestes a me engolir. Olhei pela porta e vi, na escuridão, uma verdadeira massa de água de mais de 6 metros de altura, violenta, escura, espumante, avançando em minha direção, como se uma represa tivesse estourado. Com certeza, não se tratava do Papai Noel. Era uma grande onda, eu sabia.

No primeiro momento, fiquei aflito e senti uma tristeza imensa, ao pensar que tinha chegado ao fim. Minha mulher estava grávida de Olivia, nossa primeira filha.

"O grande sono agora, não", pensei. Eu não estava pronto. Tinha muito a fazer. Quando me lembro da situação, tenho a impressão de que não tive medo da morte – parecia não haver alternativa.

Em um segundo momento, gritei "Onda gigante!" e acordei meu companheiro de barraca, o dr. David Arden, que dormia profundamente. A adrenalina bateu, e em um reflexo, saí pelos fundos da barraca, sem roupa e envolvido no mosquiteiro.

No terceiro momento, o oceano me engoliu. No escuro, fui jogado, aos trambolhões, como uma coisa à toa. Ouvi o estalar das árvores e o baque de pedaços de coral sobre o chão. Pelo que me pareceu uma eternidade, fui arrastado para a floresta, esperando ver uma luz branca no fim do túnel. Luz que nunca veio.

Meus joelhos e minhas mãos tocaram o chão, e a força do mar diminuiu por um instante. Então, ouvi o som de algo sendo sugado. Era o mar recuando. Aí, sim, tive medo.

A ideia de ser tragado e levado para a baía, para os corais, me fez sentir muito medo. Eu sabia que, se me agarrasse, talvez vivesse. Havia uma chance. Agarrei-me às raízes e às árvores como quem se agarra à própria vida. A água retrocedeu, mas não me levou junto.

> O PENSAMENTO SE TORNA DOENTIO QUANDO CRIA SENTIMENTOS IRRACIONAIS.

Quando pensei estar diante da morte certa, não tive medo, pois nada podia fazer para me salvar do que estava por vir. No entanto, quando pensei na possibilidade de ser sugado de volta para o mar, senti medo. Eu tinha que sobreviver ao recuo da onda. Então, haveria salvação. Eu sabia que, se me agarrasse, poderia evitar a morte ou ferimentos graves nos recifes cortantes. A ideia criou o sentimento.

O medo e a ansiedade fizeram com que eu me agarrasse à vida. Ansiedade e medo evoluíram para nos proteger do perigo. Aquela foi uma situação em que tais sentimentos foram úteis. O pensamento se torna doentio quando cria sentimentos irracionais, como vamos ver nos próximos capítulos.

O som do mar recuando foi substituído por gritos humanos. Quando meus olhos se acostumaram à pouca luz, vi uma prancha de surfe branca que tinha sido arrastada comigo para a floresta. Agarrei-a, prendi a tira no tornozelo e corri pela mata, até uma região mais alta, onde o pessoal que ocupava uma parte não atingida do acampamento estava acordando. Lá estava eu: sem roupas, arranhado, ferido e assustado... mas vivo!

Assim que consegui uma bermuda para vestir, comecei a avaliar os danos e a cuidar dos feridos. Infelizmente, alguns nativos catadores de conchas que dormiam à beira da água tinham sido atingidos com gravidade. Vi uma nativa em silêncio, apesar de seu braço apresentar uma fratura de úmero e estar dobrado em um ângulo de 90 graus. Fiz o que pude para endireitar o braço dela, apliquei um medicamento, ajeitei uma tipoia e fiquei observando, vendo-a desaparecer na noite, para verificar como estava sua família, em um vilarejo próximo.

Um surfista tinha costelas quebradas, um corte feio no rosto e, provavelmente, um pulmão atingido. Fiquei em dúvida se deveria introduzir o dreno que tinha comigo, para deixar saírem o sangue e o ar. O dreno de tórax é como um grande espeto de metal com uma bainha de plástico. A ponta de metal deve ser introduzida com cuidado, para não atingir estruturas importantes, como o coração ou a aorta. Então, é removida, deixando o dreno de plástico no lugar. Não seria tarefa simples, se executada sob a luz fraca de tochas.

Optei por um procedimento mais cauteloso e não utilizei o dreno. Aos poucos, ele foi melhorando, e viveu para deixar a floresta daí a dois dias.

Muitos podem descrever a tragédia, mas jamais esquecerei o cheiro, o caos e as fortes emoções daquela ocasião. No dia seguinte, a mata estava cheia de estranhas criaturas do mar, e a baía cheia de tubarões. A mídia contabilizou mais de 350 mortos nos vilarejos próximos, a maior parte crianças e pescadores arrastados para a baía. Em consequência do choque, vivi momentos de ansiedade e procurei lugares elevados para dormir, com medo de outro tsunami.

Deixei G-Land em três dias, no primeiro bote em que consegui entrar. Para minha família, aquele também foi um período difícil, sem saber se eu havia sobrevivido. Se a onda fosse ainda maior ou tivesse acontecido durante o dia, enquanto estávamos surfando, muito mais gente teria morrido – talvez eu, inclusive. Do jeito que aconteceu, posso dizer que a natureza me chicoteou com a cauda. Eu vivi para voltar a surfar, mas a experiência certamente não terminou aí.

Depois disso, comecei a ficar ansioso ao entrar no mar. Bastava ver ou ouvir uma onda grande quebrando, e lá vinha a ansiedade. A garganta ficava seca, e eu só queria sair da água. Lenta, mas seguramente, ondas menores passaram a ter o mesmo efeito. Uma onda da minha altura era suficiente para causar um desejo incontrolável de estar em terra firme. O surfe era a minha vida. Eu adorava o bem-estar, a sensação de esperar a onda e viajar nela. A situação chegou a tal ponto, porém, que o medo me impedia até de remar para dentro do mar.

> A ANSIEDADE É A PRINCIPAL CAUSA DE DOENÇAS E INFELICIDADE. EM SUA FORMA EXTREMA, ELA PARALISA AS PESSOAS, A PONTO DE IMPEDI-LAS DE FAZER AS COISAS QUE MAIS APRECIAM.

Normalmente, eu gostava de remar, usando os braços, por simples prazer. Mas a situação mudou. Mesmo em ondas seguras, eu sentia um medo irracional de ser tragado. Estava difícil praticar esporte. Comecei a desenvolver estratégias para fugir das ondas, grandes ou pequenas: dor nas costas, falsos machucados...

Com o tempo, percebi que a causa da minha ansiedade era a aproximação de uma série de ondas. No entanto, elas raramente quebravam em cima de mim ou me derrubavam: estouravam longe ou eu as atravessava remando. Passei a me concentrar na onda que tinha em frente a mim, enquanto remava. Em 90% dos casos, eu me preocupava com ondas que não me fariam mal.

Hoje, sei que o mesmo vale para as situações em que as pessoas se preocupam ou ficam ansiosas: em 90% das vezes, o fato não chega a acontecer. Na verdade, o estresse e a ansiedade podem aumentar as possibilidades de acidente. No meu caso, a falta de confiança me deixava mais propenso a ferimentos. Quando você rema para pegar a onda, deve estar atento e ficar logo de pé. Passar do momento ou hesitar pode levar à queda. O pior: a ansiedade acelera o coração, aumentando a necessidade de oxigênio, tão precioso embaixo d'água. Meu pensamento doentio criou uma ansiedade irracional que me impedia de praticar o esporte de que mais gostava – o surfe. Era preciso agir.

Comecei a analisar meus pensamentos. Forcei-me a melhorar o condicionamento, a prender a respiração por 30 segundos e a contar quanto tempo ficava embaixo da onda. Descobri que este tempo nunca era superior a 10 segundos. Quanto mais eu entrava em pânico e me agitava, tentando voltar à superfície, menos conseguia manter o fôlego. Mudei meu pensamento para: "Posso prender a respiração pelo tempo que for necessário." Comecei a relaxar embaixo d'água e a consumir menos oxigênio. Comecei a pegar ondas maiores e abandonei as estratégias de fuga, como a dor nas costas.

Assim, reencontrei o prazer de ser apanhado e derrubado por uma onda, como se estivesse em uma máquina de lavar, e de voltar à superfície, feito uma rolha de cortiça – encharcada, é bom que se diga! Foi preciso um bocado de coragem para controlar meus pensamentos e superar a ansiedade, mas consegui, e vivo melhor por isso. Em vez de me preocupar com ondas que não me atingiriam, eu me concentrava apenas na que tinha diante de mim. Com isso, passei a pegar ondas cada vez maiores. Agora, estou bem. Nunca fui tão bom surfista. Sinto-me outra vez confortável na água e aproveito uma atividade de que quase desisti.

Talvez você ache que ser atingido por uma onda gigante não seja um evento comum, e que qualquer um ficaria com medo de água. A questão é que o tsunami despertou o pensamento doentio. E as pessoas, em sua maioria, nem precisam de uma parede de água de mais de 3 metros de altura para sentir ansiedade ou pensar de maneira doentia.

Pare e pense no que lhe causa ansiedade. Agora imagine esses fatores como uma sucessão de ondas, em termos de distância. Algumas estarão muito longe; outras, mais perto. Então, raciocine que talvez as ondas mais distantes nunca alcancem você. É mais provável ser atingido pela que está na frente. Portanto, concentre-se nas mais próximas, mais prementes. Examine-as com clareza, de maneira saudável.

Em relação ao meu medo de ondas, quando identifiquei o agente provocador (as ondas distantes) e mudei o pensamento (ela não vai me pegar e posso prender a respiração), alterei também minha reação emocional negativa para outra saudável (de ansiedade para prazer).

A ansiedade é a principal causa de doenças e infelicidade. Em sua forma extrema, ela paralisa as pessoas, a ponto de impedi-las de sair de casa ou de fazer as coisas que mais apreciam. Em sua forma mais suave, é capaz de fazer as pessoas evitarem riscos, ou simplesmente de inibir seu crescimento. Passei anos me sentindo desconfortável ao receitar ansiolíticos – *Valium,* por exemplo –, pois acredito que mascaram o problema. Antidepressivos – como a paroxetina – podem ser mais eficazes, por elevarem os níveis de serotonina no cérebro. Acredito também na eficácia do pensamento saudável, e tenho utilizado em mim e em pacientes, com ou sem medicamentos.

Sou um piloto com centenas de horas de voo. E, como passageiro, tenho milhares de horas de experiência. Adoro voar. Se toda vez que o avião levantasse voo, eu pensasse que ele poderia cair, ficaria ansioso e deixaria de viajar. E, se pensasse ser impossível o avião cair, não cumpriria os procedimentos de segurança, colocando em risco a minha vida e as dos passageiros. Mais uma vez, o pensamento controla as emoções, que por sua vez influenciam o comportamento.

Lembre que 90% das coisas com que se preocupa, como ondas à distância, talvez nunca venham a afetá-lo.

Concentre-se na tarefa que tem diante de si e estará provavelmente evitando que aconteça aquilo que mais teme.

Capítulo 3

VIVA SEU SONHO, NÃO SONHE SUA VIDA

Na minha opinião, a melhor maneira de alcançar objetivos é combinar pensamento saudável e comportamentos de sucesso. Alguém me disse recentemente que o mais impressionante em mim é o fato de cumprir o que digo que vou fazer. O homem faz o que diz! As pessoas, em sua maioria, falam sobre o que têm vontade de fazer ou sobre as boas ideias que têm, mas não tomam providências concretas a respeito. Eu tomo.

Interessante a minha reação às minhas ideias, e como essa reação muda toda vez que realizo um sonho. Um dos meus primeiros sonhos foi ser médico. Há poucos anos, eu viajava em um grande navio e encontrei uma senhora que me conheceu quando eu tinha cinco anos. Veja o que ela comentou: "Você é a única pessoa que ouvi dizer, aos cinco anos, que seria médico e neurocirurgião. E é." Acredito ser um neurocirurgião que não trabalha com sangue, já que ensino as pessoas a operar os próprios pensamentos.

Na verdade, antes de mim, ninguém na minha família tinha frequentado uma universidade. Muita gente pensa que meu pai é médico. Ouço isso a todo momento. Mas meu pai e meus avós trabalharam no mar ou no cais do porto. Eu quase segui a profissão deles, mas por alguma razão, decidi estudar medicina. Essa história demonstra minha determinação e os primeiros estágios da criação do pensamento saudável.

Na escola, eu me saí bem, mas não fui dos mais esforçados. Gostava de mato e costumava pegar gambás para tirar a pele e vender, ganhando assim algum dinheiro. Resolvi entrar para o *New Zealand*

Forest Service, o serviço florestal da Nova Zelândia, como trainee de guarda florestal. Não acreditava ter um histórico escolar suficientemente bom para ser médico. Assim, eu me inscrevi e, em 1979, aos 17 anos, fui um dos 30 contratados, entre 800 candidatos de todo o país.

Peguei um ônibus e, com todos os meus pertences, parti em busca da minha formação. Cheguei a uma cidadezinha chamada Turangi, para começar um ano de trabalho na floresta de Lake Tapuo.

Eu me lembro de ser o único branco, o único sem tatuagem, o único sem ficha criminal, em meio a um bando de arruaceiros. Todo dia, capturávamos e levávamos para a cadeia local o que afetuosamente chamávamos de "boobheads" - os prisioneiros. Fiquei surpreso em ver uma cadeia onde todos tinham sido presos por causa do não-pagamento de multas por estacionamento em local proibido.

Minha ingenuidade foi abalada quando perguntei a um prisioneiro por que ele estava ali.

– Assassinato – foi a resposta.

Sempre querendo quebrar barreiras, fiz outra pergunta, com a entonação mais gentil que consegui dar:

– Por que você matou alguém?

– Porque o sujeito fazia perguntas idiotas e perguntava demais.

Assim, passei um ano apagando incêndios, usando serras, resgatando gente perdida e saltando de helicópteros. Meu objetivo era manter a boca fechada, antes que alguém fizesse isso por mim.

Ao fim de um ano, eu estava esperto, cheio de energia e entusiasmo, e resolvi estudar engenharia florestal. Era contratado do governo e, em dois anos de estudo, passei todas as férias nas montanhas, caçando veados e identificando plantas. Eu e outros dois *rangers* éramos deixados por um helicóptero em uma região remota. Lá, ficávamos por oito semanas. Sobrevivíamos comendo alimentos desidratados, além dos veados que caçávamos e das trutas que pescávamos. Íamos para casa no Natal e voltávamos para mais oito semanas de floresta. Eu adorava.

Estava bem disposto e saudável. Sentia-me satisfeito por saber que, ao fim de quatro meses, eu havia cruzado todos os rios e alcançado o topo de todas as montanhas.

Depois de algum tempo, porém, comecei a desejar algo mais intelectual. Ainda queria ajudar as pessoas. Ainda pensava se poderia ser médico.

Assim, um dia, peguei carona e, após quatro horas de viagem, cheguei à *University of Otago Medical School,* em Dunedin, onde tinha uma entrevista marcada com a vice-reitora. Ela me informou que, se eu deixasse a engenharia florestal e completasse o curso de bacharel em Ciência Botânica com dois "A" e dois "B", entraria para a faculdade de medicina. Ou seja: teria que devolver meu salário ao governo, trocar de curso e estudar mais um ano.

Voltei de carona para Christchurch, procurei meu pai e o Serviço Florestal, e pedi demissão. Meus chefes acharam graça. Segundo eles, eu jamais entraria para a faculdade de medicina. Meu pai não riu. Apenas me chamou de idiota. Disse que eu estava jogando fora um bom emprego e que jamais cursaria medicina, porque não tinha competência.

Confiante e determinado a provar que eles estavam errados, entrei para o curso de botânica, paguei o que devia e estudei tanto, que ultrapassei as exigências da vice-reitora: consegui dois "A" e dois "B+".

Satisfeito com o meu desempenho, rumei para o norte, onde passaria as férias de verão. Lá, organizei um programa de caminhadas em um parque florestal - bem... peguei um livro na biblioteca, aprendi a localização de algumas estrelas e programei uma caminhada noturna.Apesar da noite nublada, sem estrelas, apareceram umas 200 pessoas, não sei se por ser uma boa ideia, ou por não terem coisa melhor a fazer. Como as nuvens não se afastaram, desenhei as estrelas em um quadro e levei o pessoal a caminhar no escuro, para ver vaga-lumes.

Eu costumava levar grupos a uma caverna que conhecia. Quando apagava a tocha, os vaga-lumes brilhavam como estrelas.

Era lindo. Todos suspiraram, mas uma criança fez "ugh!". Então, avisei que não gritassem. E apontei a tocha para o teto, revelando centenas de wetas, uma espécie de gafanhotos gigantes não voadores. Ao mesmo tempo, disse que, se houvesse gritos, os insetos cairiam sobre suas cabeças. A criança suspirou, encantada, mas os adultos fizeram "ugh!". Não sei se a criança praticava o pensamento saudável, mas a reação com certeza foi diferente.

Aquele foi um dos meus melhores trabalhos. Eu me sentia como o ambientalista David Bellamy, mostrando a adultos e crianças as plantas, os animais e os ecossistemas da floresta.

Foi quando duas cartas chegaram ao meu pequeno acampamento na floresta. Uma delas vinha da University of Otago Medical School, a mais antiga e, segundo alguns, mais conceituada do país. Trêmulo, abri o envelope.

Caro Sr. Mulholland:

Devido à acirrada competição e ao alto padrão dos candidatos este ano, o senhor não foi bem-sucedido na sua tentativa de ingressar na University of Otago Medical School.

A outra carta era de uma garota por quem eu me julgava perdidamente apaixonado na época.

Caro Tom:

Achei melhor avisar que estou de mudança para outra cidade, por ter ficado noiva de um rapaz chamado Guy. Ele foi aceito na faculdade de medicina, e vamos viver juntos.

Ainda bem que não havia uma terceira carta.

A chegada daquelas duas cartas representou um momento definitivo. Não me importava o fato de todos dizerem que eu jamais entraria para a faculdade de medicina. Eu queria ser médico, e não podia. Quanto à garota, bem... deixa para lá. A melhor mulher do mundo ainda estava por ser descoberta.

Durante uma hora, andei pela floresta. Depois, sentei-me à beira de um lago profundo e fiquei observando meu reflexo na água. Atirei pedras, contei os círculos a se afastarem do centro... Tive vontade de ir a Londres, entrar para uma banda de punk rock. Estava tudo planejado. Trabalharia como segurança, como barman... e provavelmente limparia banheiros, como tinha feito para pagar meus estudos.

> CUIDADO COM OS CALOS EM QUE VOCÊ PISA HOJE, POIS PODEM PERTENCER A ALGUÉM CUJOS PÉS PRECISE BEIJAR AMANHÃ.

Formado em botânica, e trabalhando como segurança? Sempre a mesma m#@$%, só mudaria de cidade! Não que me importasse de trabalhar como segurança; só não queria fazer isso pelo resto da vida!

Pensei um pouco mais. Tinha gostado de estudar genética e biologia molecular. Embora não estivesse inscrito no Honours Program, que prepara estudantes para cursos de pós-graduação ou uma eventual carreira orientada para a pesquisa no setor ambiental, decidi ligar no dia seguinte para a universidade, que ficava a mais de 1,6 mil quilômetros do acampamento na floresta. Queria ver se me aceitavam como *honours student*, o que significaria mais um ano de estudo universitário. Ainda acreditava ser possível entrar para a faculdade de medicina. E tinha um plano.

Fui conversar com o diretor do curso de zoologia. Naquele ano, eu sentira vontade de dizer-lhe umas verdades, por causa do modo como havia tratado alguns alunos. Felizmente, não o fiz. Cuidado com os calos em que você pisa hoje, pois podem pertencer a alguém cujos pés precise beijar amanhã. Assim, depois de muitos "beijinhos", fui aceito como *honours student* de zoologia, com ênfase em biologia molecular e genética.

Sofri com os comentários do tipo "Eu disse que você não entraria para a faculdade de medicina", mas, focado em minha meta, dei a volta por cima.

Meu avô achou ótimo eu estudar zoologia, pois poderia trabalhar no jardim zoológico! E poderia mesmo!

Um dia, ainda vou escrever sobre como dei duro aquele ano. Ficava até as 4 horas no laboratório, fazendo marcação radioativa de DNA e procurando mensageiros celulares. E ainda trabalhava como garçom e *barman* para pagar os estudos.

Certa vez, eu servia champanhe em uma bandeja a um grupo. Como é costume, as pessoas pegavam a bebida sem sequer olhar para o garçom. Estavam ocupadas demais, conversando com seus amigos importantes. No entanto, diferentemente dos outros, um homem se voltou, olhou-me bem nos olhos e disse:

– Muito obrigado.

Era o governador-geral da Nova Zelândia, Sir David Beattie.

Nunca esqueci aquela lição de delicadeza e a influência que um gesto pode exercer. Aquele homem, talvez a pessoa mais importante do país, tinha me olhado nos olhos, fazendo-me sentir prestigiado. Um gesto simples que me deu a sensação de sucesso e valorização. E que para ele custou apenas um segundo e um sorriso.

Meu trabalho árduo e minha dedicação foram recompensados com quatro "A+", um "A" e um *"first-class honours degree"*, que corresponde a notas entre 85 e 100. O resultado não poderia ser melhor. Recebi uma carta da University of Otago Medical School, convidando-me a ingressar no segundo ano de medicina. Na mesma época, outra carta chegou. Era da ex-namorada, que dizia haver rompido com Guy e perguntava o que eu andava fazendo. Anos mais tarde, Guy me telefonou, perguntando se queria dividir um apartamento com ele, em nosso primeiro ano de trabalho em outra cidade. Eu aceitei. Mas essa história fica para depois.

Rumei para o sul, carregando tudo que tinha. Desta vez, fui de Fusca, e não de ônibus, com os pertences na mala. Disse ao meu pai e ao serviço florestal que ia estudar medicina, e avisei ao meu avô que não trabalharia no zoo. Estava ansioso, com medo de me sentir intelectualmente inferior aos outros alunos. Mais uma vez, eu permitia que ideias negativas comandassem meus sentimentos.

O estudante designado para ser meu companheiro de laboratório foi William Peters, que mais tarde seria meu melhor amigo e parceiro nos negócios. No primeiro dia de aula, o professor de cirurgia nos perguntou onde havíamos estudado anteriormente. William vinha da Kings College, a mais conceituada do país. Eu vinha de uma instituição simples, o Taita College, mais ou menos equivalente às escolas do Bronx, em Nova York. Com certeza, não se podia dizer que eu tivesse pedigree acadêmico, e fiz vários cursos para melhorar a formação. Ouvi dizer que o colégio está muito melhor atualmente.

Achei que o modo de parecer mais sabido fosse chegar todo dia cinco minutos antes de William. Assim, ele sempre tinha que me perguntar como iam as coisas; e sempre sabia menos do que eu. Afinal, convenci-me de que era tão inteligente quanto ele. Podíamos chegar ao mesmo tempo. Adquiri confiança na minha capacidade intelectual. O estudo na faculdade de medicina era fácil, depois de um *honours degree*, e tive um desempenho excelente em todos os anos.

Posso dizer que vivi bem e transformei muitos sonhos em realidade, mas pensamento saudável e comportamentos de sucesso sempre foram para mim ferramentas-chave. Apenas eu não as reconhecia, nem havia elaborado formalmente e aperfeiçoado, fazendo delas um todo transferível, como acontece agora.

Enquanto cursava a faculdade de medicina, por exemplo, eu precisava de dinheiro. Meus pais ofereceram seu suado dinheirinho, mas eu queria fazer do meu jeito. William era contratado como professor particular na Christ's College, outra conceituada instituição da Nova Zelândia. Sugeri oferecermos aulas particulares a crianças. Abrimos uma pequena empresa, e fomos aconselhados a escolher os sócios com mais cuidado do que se procurássemos uma esposa. Olhamos um para o outro e demos boas risadas. Hoje ainda rimos, ao lembrar.

Devido aos meus pensamentos, por pouco não desisti do negócio. Estava preocupado com a possibilidade de servir aos ricos, achando que somente eles poderiam pagar por aulas particulares.

Seus filhos ficariam mais bem preparados, ampliando-se assim a lacuna entre ricos e pobres. Decidi que, se o negócio desse certo, ofereceria aulas de graça a quem não pudesse pagar.

Logo percebi que estava errado. O telefone tocou pela primeira vez. William e eu, metidos em nossos ternos de 2 dólares, comprados no brechó do Exército da Salvação, rumamos para Linwood, um bairro habitado por trabalhadores, para conhecer nossa primeira cliente. Fomos à procura dos pais de uma garota chamada Heidi.

A casa dividia o espaço com uma lojinha. Saltamos do nosso carro de 300 dólares, atravessamos a loja e entramos na casa. Fomos ao encontro de Heidi com nossa "extensa" base de dados de professores particulares – na época somente uma professora, Carol, e William e eu na retaguarda.

Carol estudava medicina. Eu mesmo pagaria para tê-la como professora. Felizmente, Carol e Heidi se deram bem. Fiquei surpreso quando o pai da menina marcou 20 aulas, abriu a gaveta da caixa registradora e tirou 300 dólares em dinheiro. Exatamente o preço do carro. E ainda tínhamos que pagar pelo trabalho de Carol. Aquela foi uma das minhas primeiras lições de fluxo de caixa. De todo modo, eu estava satisfeito com o sucesso do negócio e com o fato de não estarmos atendendo apenas os ricos. Que eu saiba, na época não existiam grupos de professores particulares que obedecessem àquele formato.

O Christchurch Tutoring Service, nosso serviço de aulas particulares, foi um grande sucesso. A cada semana, novos estudantes de medicina se ofereciam para se juntar ao grupo e ganhar algum dinheiro. Chegamos a ter 30 deles trabalhando para nós. Os negócios iam muito bem. Logo que juntei dinheiro suficiente, vendi meu fusca e viajei para estações de esqui no Canadá e nos Estados Unidos. Três meses mais tarde, voltei, para iniciar o quinto ano de estudo, e passamos o negócio adiante. Eu e William estávamos ocupados demais com outro plano.

Fui a Christchurch atendendo a um telefonema de William. Ele não conseguia vender seu carro em Auckland, e tinha a ideia de fazer uma feira de automóveis em Christchurch. Seria a primeira do gênero em South Island. Gostei da ideia. As pessoas pagariam 11 dólares para estacionar o carro por três horas, no domingo. Compradores teriam direito a estacionamento grátis.

O conselho da cidade nos cedeu o estacionamento, desde que doássemos uma percentagem a uma instituição de caridade, com o que concordamos. Procurei o professor Alan Clarke, reitor da faculdade, e pedi que sugerisse uma instituição merecedora de ajuda. A Canterbury Medical Research Foundation foi a resposta.

O superintendente do estacionamento insistiu em que fizéssemos uma doação maior, já que considerava a nossa proposta um esquema para ganhar dinheiro. O reitor deu um telefonema rápido a um homem público, um dos patronos da Canterbury Medical Research Foundation, e este confirmou: a fundação patrocinava pesquisas médicas importantíssimas. Assim, com o sinal verde do superintendente, em um dia de temporal e frio intenso, inauguramos a feira, com 24 carros.

Liguei para a estação local de televisão, oferecendo uma boa história. Depois de sermos filmados e aparecermos na telinha, 240 carros foram, na semana seguinte!

Decorrido algum tempo, vendedores de carros nos ameaçaram com a expulsão da cidade. Chegaram a lançar uma feira em um bairro residencial, para competir com a nossa. Mas não fizeram direitinho o "trabalho de casa". O telefonema de um morador aborrecido acabou com o empreendimento. Como isso aconteceu é um mistério. Não digo nada. Só sei que a nossa feira foi um sucesso, e sustentou nossos estudos, além de criar alguns empregos.

William chegou a diretor de pesquisas em cardiologia da Stanford University, na Califórnia. Aos 26 anos, participou da primeira cirurgia para colocação de um bypass em um ser humano, com a utilização de um endoscópio. O dispositivo é chamado *endoclamp*, um cateter de balão aórtico ascendente patenteado por ele e fabricado por uma empresa - a *Heartport* - com ótimo desempenho na NASDAQ, a bolsa de valores eletrônica.

Decidi mudar de emprego e de estilo de vida, e fui morar em Taranaki, local de grandes ondas. Queria ser cirurgião ortopédico. No entanto, estar preso na sala de cirurgia, enquanto as ondas quebravam lá fora, me deixou frustrado. Optei por combinar o trabalho no setor de emergência do hospital com um consultório próprio de clínica geral e medicina esportiva. Depois de certo tempo, eu precisava de um novo desafio.

SE VOCÊ DER OUVIDOS A "ESPECIALISTAS" QUE EMITEM OPINIÕES SEM BASE EM FATOS, VAI ACABAR COMO ELES, QUE SÃO DESINFORMADOS E ESTAGNADOS.

Sempre tive vontade de voar. Então, decidi ser piloto. Quando criança, frequentemente sonhava estar voando sobre os campos, como um pássaro. Viva seu sonho, não sonhe sua vida.

Mais uma vez, um pensamento doentio quase me atrapalhou. Em um jornal, vi um anúncio de oferta de bolsas de estudo no aeroclube local para quem quisesse aprender a voar. Comentei com alguns amigos que pensava em me candidatar. O que ouvi deles foi:

– Nunca vai conseguir. Você é médico. Bolsas de estudo são para quem não pode pagar.

O problema é que, se você der ouvidos a "especialistas" que emitem opiniões sem base em fatos, vai acabar como eles, que são desinformados e estagnados. Faltava uma hora para encerrar-se o período em que, pagando uma taxa de 120 dólares, eu me candidataria a uma bolsa de estudos, quando cheguei ao aeroporto e preenchi o formulário. Eu jamais conseguiria a bolsa se não tentasse. Pelo menos, havia uma possibilidade.

E consegui. Hoje, sou um piloto qualificado. Pilotei helicópteros, Cessnas e um Vampire, além de ter feito inúmeras viagens a locais distantes, sozinho ou com amigos, para surfar, esquiar e pescar. Em um simulador de Hong Kong, pilotei um Airbus depois da explosão de uma bomba; e em Auckland, enquanto fazia um curso de medicina da aviação, tentei aterrissar, em outro simulador, um 747 com um motor apenas.

Nos tempos de faculdade, pensei em entrar para a Força Aérea, mas outro amador mal informado me disse que, medindo mais de 1,90 metro, eu era alto demais para ser piloto e perderia os joelhos, caso tivesse de ser ejetado. A ideia de deixar os joelhos no avião foi demais para mim. Assim, acreditando que minha altura não combinava com aquela carreira, escolhi outra. Por que será que, às vezes, quando você diz que pretende fazer alguma coisa, aparece alguém para "dar o contra"?

> POR QUE SERÁ QUE, ÀS VEZES, QUANDO VOCÊ DIZ QUE PRETENDE FAZER ALGUMA COISA, APARECE ALGUÉM PARA 'DAR O CONTRA'?

Se eu tivesse dado ouvidos às razões pelas quais não poderia fazer as coisas que fiz, ainda estaria na cama. Desde muito cedo, sempre me disseram que eu não tinha nem um ossinho musical no corpo. Talvez não tenha mesmo. Mas já toquei guitarra pelo mundo, já ganhei dinheiro tocando nas ruas, fiz parte de uma banda e fui aplaudido por multidões!

Quando inaugurei o primeiro centro médico particular para atendimento de emergência e acidentes, disseram-me que eu não sobreviveria. Teria de ir embora da cidade. Muitos riam, e médicos que haviam comparecido ao meu casamento trocavam de calçada, para não ter de me encarar.

"Ninguém é dono dos pacientes", pensei. Eles vão aonde são bem atendidos. Sou médico e administro um negócio – o negócio de manter as pessoas saudáveis. O que é bom para o paciente é bom para os negócios!

Esta se revelou uma regra preciosa. Outra das minhas regras é a de não deixar a emoção atrapalhar os negócios. Aquele foi um exemplo do meu trabalho para manter emoções doentias longe dos empreendimentos.

Contra as probabilidades, as campanhas de oposição e aqueles que diziam como é difícil uma empresa nova sobreviver, abri uma clínica de pronto atendimento, com raio X, farmácia, médicos e equipe de enfermagem em sistema de socorro 24 horas. Concentrei-me por inteiro em cuidar do paciente e em oferecer serviço médico de qualidade.

Em um ano, a clínica já movimentava 1 milhão de dólares. O mais importante, porém, foi o oferecimento de um serviço muito necessário e a mudança do modo como a Medicina era praticada na cidade. Atualmente, esse tipo de clínica se multiplicou, e os pacientes podem escolher entre vários bons serviços médicos em nossa comunidade.

Decidi inscrever a clínica no *Chamber of Commerce Business Awards,* o prêmio conferido pela câmara de comércio. E lá vieram as risadas, outra vez. (Hoje, considero este um indicador de que estou no caminho certo.) Quando as pessoas acham graça, sei que se trata de uma ideia nova; sei que estou prestes a explorar um novo território. Talvez eu seja um explorador. Gosto de fazer coisas novas e encontrar novos nichos. Isso contribui para fazer a vida maravilhosa, interessante, desafiadora. E cria empregos.

Eis um comentário típico:

– Você não pode inscrever um centro médico em uma premiação para negócios. Ninguém faz isso. Um centro médico não é negócio; é serviço.

Mais uma vez, mantive a atitude de considerar a clínica um negócio. Se não participasse da competição, jamais ganharia. Assim, cheio de entusiasmo, preenchi os formulários no último minuto e aguardei ansiosamente a visita dos juízes. Segundo a minha "estratégia do último minuto", a visita foi no dia seguinte. Respondi a todas as perguntas. E comprei entradas para a cerimônia de premiação. Estava confiante, mas, conforme descobri mais tarde, despreparado para o que viria.

Como haviam me solicitado que providenciasse um logotipo, pensei que veria o nome da clínica iluminado no palco. Reservei uma mesa grande para a família e os amigos e vesti meu melhor terno – o único, para falar a verdade. Disse a todo mundo que éramos finalistas. Os nomes foram lidos, e o da minha clínica não foi sequer mencionado. Tive de suportar os olhares aborrecidos. Mas o que eu estava pensando? Aquilo não significava que a clínica não fosse boa. Aquilo queria dizer que eu não estava preparado para os juízes e para o prêmio.

Talvez alguém ali estivesse satisfeito com o meu insucesso, não sei, mas eu com certeza não estava. Em vez de desistir, decidi me inscrever novamente no ano seguinte, aprender as regras e elaborar um plano de negócios. A experiência é uma coisa maravilhosa.

Pensamento saudável e comportamentos de sucesso me ensinaram que Michael Jordan não desistiu por perder o jogo de abertura da temporada; Tiger Woods não deixou de jogar golfe por errar uma tacada; Henry Ford não abandonou a fabricação de carros porque o primeiro modelo não deu certo.

No ano seguinte, eu estava preparado. Além disso, os negócios iam às mil maravilhas, resultado de um plano de negócios e do foco. Eu saboreava o jantar, quando o mestre de cerimônias anunciou que a clínica White Cross havia conquistado o prêmio de melhor empresa emergente, além de ter sido considerada a mais inovadora, uma categoria na qual pequenas, médias e grandes empresas podiam ser escolhidas. Recebi uma placa, vários prêmios e uma carta do presidente:

O Air New Zealand Taranaki Business Awards *de 1997 teve como concorrentes muitas empresas inovadoras e altamente bem-sucedidas, em vários estágios do ciclo de negócios. A mais notável na categoria "empresas emergentes" foi a White Cross Taranaki, por isso considerada vencedora. Em sua avaliação, os juízes apontaram o vasto conhecimento de Tom Mulholland, diretor clínico, atuante e entusiástico no que se refere ao funcionamento e ao ambiente operacional da empresa. Ressalte-se também que Tom Mulholland pode ser considerado responsável pelo sucesso* alcançado. *Ele fez a diferença, para a White Cross Taranaki, entre o primeiro e o segundo lugar.*

Fiquei e ainda estou orgulhoso daquela carta. Eu não desisti. Acreditei na visão de um melhor atendimento em termos de saúde e me mantive firme. Frequentemente procuramos ensinar às nossas crianças o valor da persistência. Mas é incrível a quantidade de adultos que não adotam esse valor para a própria vida.

USEI O PENSAMENTO SAUDÁVEL PARA TRANSFORMAR O MEU DIA, FAZENDO DELE UMA EXPERIÊNCIA AGRADÁVEL PARA TODOS.

Cinco anos depois de deixar a White Cross, retornei para ajudar os novos proprietários, que são meus amigos. O primeiro dia foi realmente movimentado, com muitos atendimentos. Voltei para casa achando que aquele tinha sido um mau começo. Isso foi há uma semana. Esta noite, cheguei do segundo plantão. Usei o pensamento saudável para transformar o meu dia, fazendo dele uma experiência agradável para todos. Mudei de atitude, mudei de ideia, mudei de comportamento e tive um dia excelente.

Eu me concentrei em fazer cada paciente se sentir especial. Vi crianças doentes, assustadas, chegarem de pijama no meio da noite fria. Perguntei a um garotinho de olhos grandes:

– Você está doente?

– Estou – ele respondeu, trêmulo.

– Que sorte! Eu sou médico e vou ajudá-lo a melhorar.

Naquele momento, lembrei-me de como me senti quando estive doente; de como me senti quando vi meus filhos doentes e tive de decidir levá-los ao médico. E pensei em como é bom ver um sorriso e um rosto amigável, em um momento desses.

Em vez de pensar nos muitos pacientes que aguardavam atendimento, ou no fato de não ter conseguido jantar ainda, aproveitei cada momento e a alegria de ver surgir um sorriso de criança. Nem me importei quando uma mãe me mandou olhar direitinho os ouvidos de seus filhos, porque se eles chorassem ao voltar para casa, ela queria ter a certeza de que não era de dor. Foi uma noite boa.

O prêmio de 5 mil dólares me permitiu iniciar outro negócio. Embora tivesse enviado inúmeras cartas e visitado dentistas pessoalmente, não consegui um profissional disposto a pagar um aluguel de apenas 100 dólares semanais por uma sala com todos os recursos necessários ao funcionamento de um centro odontológico de emergência. Então, sem remorso algum, já que tinha esgotado todas as possibilidades, liguei para um amigo cujo irmão trabalhava como dentista a centenas de quilômetros de distância. Compramos uma cadeira usada, e criei um slogan: "O dentista gentil, com a sua boca e o seu bolso".

Usei uma parte do prêmio para contratar um número para o qual os clientes podiam ligar gratuitamente – o 0800 TOOTHACHE, dor de dente. Encontrei dois bons dentistas e consegui convencê-los a se mudar para um período de experiência em nossa cidade. O negócio foi um sucesso, e vendemos a empresa para eles, seis meses depois de havermos assumido o risco.

Certa vez, conversei com Sir Tim Wallis, o pai do resgate de cervos na Nova Zelândia, pioneiro da aviação, criador do show aéreo Warbirds over Wanaka e fundador da Helicopter Line. Estudei com um sobrinho dele na faculdade, e voltei a encontrá-lo em uma conferência sobre medicina da aviação.

Ele me contou ter sido o primeiro proprietário de um helicóptero no país. Para isso, hipotecou a casa da mãe. Com algo em torno de 18 horas de voo, decolou para os Alpes do Sul, em meio a uma tempestade que se formava a noroeste.

No alto das montanhas, sua equipe tinha abatido muitos cervos, e pretendia transportá-los. Como a tempestade se aproximava, Tim pensou em ajudar e saltou do helicóptero, que então alçou voo, por causa da diferença de peso. Segundo contou, ele era mais ágil naquele tempo, e agarrou-se à base, trazendo o veículo de volta, com um baque.

Para facilitar a decolagem, levantaram voo da borda da montanha, com os cervos amarrados embaixo. Mas a queda tinha provocado uma rachadura na cauda, que se quebrou, lançando o helicóptero em um monte de neve. Felizmente, todos sobreviveram.

No dia seguinte, o gerente do banco ligou para cobrar o empréstimo, que tinha como garantia a casa da mãe de Tim.

– Você não pode fazer isso! – ele disse. – Isso só prova que eu não sou o piloto que pensei que fosse. Se você me emprestar mais dinheiro, vou contratar um piloto de verdade. Não quer dizer que o transporte de cervos não seja uma boa ideia.

O resto hoje faz parte da História. Tim virou Sir Tim, e a criação de cervos se tornou um setor importante na Nova Zelândia. Sua trajetória me motivou muitas vezes a empregar os comportamentos de sucesso e o pensamento saudável, para surfar a próxima onda gigante – meu capital de risco.

Acredite em si.

Verifique se os seus pensamentos são verdadeiros.

Faça o seu trabalho, apesar das opiniões contrárias mal informadas, embora bem-intencionadas.

Certifique-se de ter pensamentos saudáveis.

Capítulo 4

CAPITAL DE RISCO - A SEGUNDA ONDA GIGANTE

Meu próximo empreendimento também ganharia prêmios e seria bem-sucedido na tarefa de levantar milhões de dólares em capital de risco e para início de atividades. Eu não previa, porém, o tempo, a energia e a paz familiar que esta onda de tecnologia iria consumir. Embora emocionante e compensadora, pelo que sei, foi a onda gigante de trabalho intenso que varreu minha família.

O conceito envolvia uma base central de dados, como no caso de operações bancárias pela internet, para registros médicos e consultas on-line. Escolhi o nome de *Doctor Global* e criei o website *www.doctorglobal.com.* A comunidade médica reagiu, chamando-me de traiçoeiro. Em vez de pensar que se tratava de perseguição, preferi creditar aqueles comentários à falta de informação. E era falta de informação mesmo. Eu poderia partir para a briga, mas preferi o esclarecimento.

Sempre pratiquei a medicina segura, e jamais receitei narcóticos, exceto em circunstâncias excepcionais, em consultas frente a frente. Achei estranho alguém julgar que, só porque a internet estava envolvida, eu iria enviar drogas a desconhecidos. Uma das primeiras coisas que você promete, como médico, é não causar mal algum.

Apesar das opiniões contrárias e dos receios da comunidade médica, fui em frente. Corajosamente, pela primeira vez no mundo, atendi à consulta de um paciente com uso de registros médicos, aconselhamento e dados de cartão de crédito transferidos pela internet. As opiniões aos poucos se tornaram favoráveis, inclusive a de um documentário exibido no programa 60 Minutes e as de outros artigos de revistas e jornais.

Eu me lembro da consulta de uma mulher de Boston que, preocupada com o marido doente, queria transferi-lo de hospital. Não precisei receitar remédio algum. Simplesmente indiquei a ela as perguntas a fazer aos especialistas que cuidavam dele. Deixei claro que o motivo que a levara a buscar uma segunda opinião do outro lado do mundo, às 3 da manhã, era sua insegurança quanto à primeira.

Na manhã seguinte, com tranquilidade, ela fez ao médico as perguntas que eu havia indicado. Lá, eles conversaram. Ele respondeu o que ela queria saber, tornando-a parte do processo. Às 3 da madrugada, ela estava apavorada, com vontade de arrancar os tubos e ir embora. De manhã, era uma pessoa calma, satisfeita por ver o marido no caminho da recuperação. Mais tarde, ela me enviou um e-mail, agradecendo pelo apoio e pelo conselho.

Apesar dos opositores, eu sabia estar certo. O que é bom para o paciente, é bom para os negócios. O que não é bom é fornecer medicamentos a pacientes distantes, o que fazem muitos operadores, ao enviar Viagra, Xenical e outras drogas da moda sem se preocupar com possíveis más consequências. Meu desafio foi convencer os colegas de profissão de que não era um daqueles desclassificados.

A responsabilidade era grande. Eu soube que o senado dos Estados Unidos tinha discutido a minha empresa, e que eu corria o risco de ser processado, se desse um conselho errado. Advogados e juízes sugeriram que seria um caso perfeito para quem quisesse mover uma ação contra mim em busca de uma indenização – um processo que costuma exigir tempo e dinheiro. Mas insisti, na crença de que a ideia fazia sentido e seria de ajuda para muita gente.

Até hoje, nunca fiz nada desonesto, e minha intenção é sempre ajudar. Pode parecer ingenuidade. Talvez eu devesse adotar uma postura mais defensiva. Mas minha confiança juvenil teve como recompensa o elogio de pacientes do mundo inteiro. Eles me agradeceram pelos conselhos e por ajudá-los a enfrentar a doença. Ninguém me processou.

O capital necessário à alimentação do website e ao desenvolvimento técnico aumentou. Eu havia levantado dezenas de milhares de dólares de amigos e parentes que confiaram em mim.

A bolha pontocom se expandia, e nós fazíamos parte dela. O conselho de medicina da Nova Zelândia – *New Zealand Medical Council* –, que poderia cassar minha licença de exercício da profissão, instituiu diretrizes para consultas pela internet. Inclusive me chamaram lá e adotaram alguns artigos do código de conduta que eu havia elaborado, na ausência de padrões mundiais para a questão. Sendo o primeiro, criei os meus e coloquei no site. Outros médicos aderiram, entre eles o meu grande amigo, dr. William Peters, que colaborou no design, no desenvolvimento e no patrocínio.

Eu não apenas tentava criar uma empresa de *software* de primeira linha, mas procurava fazê-lo a partir de uma remota comunidade rural e de uma cidade pequena. E atuava como médico em tempo integral, atendendo pacientes para ganhar dinheiro e sustentar a família. Além disso, passava as noites no computador, preparando um plano de negócios atrás do outro e tentando convencer os investidores de que ali estava uma tendência de futuro.

Eu tinha uma filha de três anos e um filho de dois anos, e meu casamento começou a sofrer. Havia investido tempo e dinheiro, este nem todo meu. Estava em uma onda enorme, sem volta. Pensei que tudo se ajeitaria logo que conseguisse capital de risco. Então, poderia deixar a prática da medicina e me concentrar em administrar os empreendimentos. Mas estava errado.

Com o crescimento dos negócios, eu empregava todos os meus recursos. Por exemplo: precisávamos de um programador, já que havíamos contratado o de outra empresa. Ouvi falar de um médico colombiano que entendia de programação e vivia em uma cidade a quatro horas de distância, de carro. Ele tinha deixado a Colômbia por causa do terrorismo e da agitação política, mas não podia se registrar como médico na Nova Zelândia.

Telefonei e convidei-o a me fazer uma visita. O dr. Libardo Suárez aceitou o convite. Gostei dele. Levei-o para conhecer a cidade e mostrei que era um bom lugar para criar filhos.

Meu amigo William sugeriu que o contratasse imediatamente. Eu estava sem dinheiro, mas hipotequei minha casa mais uma vez e telefonei para Libardo, oferecendo o emprego. Ele aceitou imediatamente. Deixou o trabalho que fazia e avisou a família que estava de mudança para Taranaki na segunda-feira seguinte – dali a três dias.

Paguei a passagem com o meu cartão de crédito e disse a ele que chegasse ao aeroporto às 9 horas. Um empregado da empresa estaria à sua espera. (O escritório funcionava nos fundos do meu consultório.)

A segunda-feira chegou, e o funcionário voltou do aeroporto sozinho. Onde estava Libardo? Não viera no avião.

Liguei para ele entre um atendimento e outro. O coitado tinha se despedido da família e dirigido por meia hora até o aeroporto, para descobrir que não havia passagem para ele. A companhia aérea havia marcado sua passagem para a semana seguinte, sem avisá-lo. Ele voltou para casa. Disse-lhe que retornasse ao aeroporto e pegasse o avião seguinte. Libardo fez isso. E hoje, passados quatro anos, ele ainda trabalha para a *Doctor Global.*

Com o aumento da programação, a empresa ficou mais conhecida, e o movimento cresceu. Minha mulher ficava cada vez mais estressada; cuidava de quatro filhos pequenos sem poder contar comigo, pois quando eu estava em casa, continuava a pensar nos negócios. Sugeri que ela passasse duas semanas de férias na Indonésia com o sobrinho. Eu cuidaria das crianças. Ela aceitou a sugestão. Não foi fácil para nenhum de nós. Àquela altura, eu já havia investido quase 100 mil dólares – meus e dos amigos – nos negócios.

Vivo em uma casa de fazenda, com galinhas, vacas e porcos. Cresci na cidade, e costumava pedir aos meus pais que nos mudássemos para o campo, onde eu teria mais espaço. Viva os seus sonhos!

Minha mulher estava em outro país, e eu tentava trocar uma fralda, no intervalo de dois atendimentos pela internet, quando o telefone tocou. Era um representante da maior rede de televisão da Nova Zelândia, que queria fazer uma matéria comigo, para ser apresentada no telejornal noturno. A equipe chegaria em uma hora.

A casa parecia uma zona de guerra. Corri de um lado para outro, tentando dar uma arrumação e, na confusão, esqueci a porta dos fundos aberta. Eu segurava minha filha no colo, quando meu filho, por alguma razão inexplicável, vomitou no chão. Isso aconteceu exatamente quando a van da equipe de televisão avançava pela entrada de garagem. Os pais de crianças pequenas com certeza sabem como me senti.

Descalço, corri para pegar uma toalha, mas pisei em alguma coisa escorregadia e voei. As galinhas tinham entrado pela porta dos fundos, e eu acabava de enfiar o pé em titica fresca e malcheirosa. Que falta fazem uma casa na cidade e um tapete... Amorteci a queda com a bunda e protegi minha filha com a barriga. Quando a equipe de televisão bateu à porta, o vômito e a titica tinham sido varridos rapidamente. Não sei quanto ao odor. Talvez os profissionais tenham sido educados, mas em momento algum mencionaram o mau cheiro, durante a filmagem. À noite, depois do noticiário, o telefone enlouqueceu.

Com o crescimento dos negócios, viajei cada vez mais. Fui aos Estados Unidos, em busca de capital. Depois de Phoenix e San Diego, dei uma passada no Vale do Silício, em San Francisco. Tive um encontro com executivos da Kleiner Perkins, que financiaram a Amazon.com e, acredito, o Netscape, entre outros. Eu me lembro de ter ouvido de Joe Lacoub, um dos sócios-gerentes, que a *Doctor Global* era uma das melhores ideias que ele tinha conhecido, mas precisava ser simplificada. Quando ele me perguntou quanto custava uma das nossas camisetas, brinquei, dizendo:

– É só me dar 3 milhões de dólares que você leva a companhia de graça!

Ele riu e respondeu:

– Volte quando o negócio for mais simples.

Eu me lembro também de ver o que pareciam contêineres cheios de planos de negócios serem levados para uma grande máquina de picar papel. Pensei que, pelo menos, tínhamos evitado aquilo.

EM MOMENTO ALGUM DUVIDEI DA MINHA VISÃO."

Fui à Ásia, onde havia investidores dispostos a aderir à bolha pontocom. A WebMD começava, e tinha ideias similares às nossas. Teria eu elaborado ou distribuído planos de negócios em excesso? Os documentos secretos valiam o papel em que foram escritos?

Em momento algum duvidei da minha visão. Sei que a empreitada foi um tanto ambiciosa. Encontrar instituições e médicos dispostos a compartilhar seus dados sobre saúde, através de um servidor, é um grande desafio.

Eu não conhecia a Europa. A Microsoft fazia na Bélgica uma conferência sobre saúde por meio eletrônico, a MS HUGE, que significa *Microsoft Health Users Group, Europe*. Foi um grande evento – com uns mil participantes – em uma cidade chamada Bruges. Não deixou de ser um tanto assustador desconhecer o idioma local e bancar as viagens para lugares desconhecidos. Mas o que de pior poderia acontecer? Eu me perder. E daí?

Antes uma voz solitária na vastidão da Nova Zelândia, eu estava entre visionários na conferência da Microsoft. Embora ninguém fizesse exatamente o que eu queria fazer, todos concordavam com o meu conceito. Voltei para casa, decidido a reformular tudo, com base em uma plataforma Microsoft. Afinal, consegui um capital de risco significativo, e dei uma festa para comemorar. Veio gente de toda parte.

Depois que levei o último convidado ao aeroporto, nosso responsável pela informação me fez uma visita. Ele disse à minha mulher que, conseguido o capital de que eu precisava, ela pouco me veria, tão ocupado eu ficaria então. Não sei se aquela foi a gota d'água, mas ele estava certo.

O fato de levantar capital de risco só prova que você tem uma boa ideia. Em seguida, é preciso fazer a coisa funcionar. Nem eu nem minha mulher estávamos preparados. Ainda mais com duas crianças bem pequenas, estávamos exaustos. Ela me disse que iria embora. E foi, no dia 1º de julho de 2000 – sua estratégia de saída.

A caminho do aeroporto, aonde levava dois investidores, contei as trágicas notícias. Eles ficaram preocupados, mas disseram acreditar que eu me sairia bem. No entanto, eu não estava nada bem. Meu mundo parecia acabado.

Pouco tempo depois, o programa *60 Minutes* levou ao ar um documentário sobre a minha vida.

Seja qual for o padrão adotado, pode-se dizer que o dr. Tom é uma pessoa extraordinária. Excelente surfista, ele pilota um jato Vampire, atuou como guarda florestal, possui first-class honours degree em biologia molecular, é clínico geral e médico do time de rúgbi de Taranaki. Além disso, sobreviveu a uma onda gigante em Java e fundou a *Doctor Global*, empresa de atendimento médico pela internet, que ele acredita apaixonadamente ser um recurso valioso para a melhoria da saúde, diminuindo a frequência aos consultórios.

Mike Valentine

Em seguida, foi a vez da revista North and South, que publicou uma matéria de cinco páginas a meu respeito, de William Peters e da empresa.

Tom Mulholland é dono de um visível, inesgotável e contagioso entusiasmo pelas oportunidades. E, tal como costuma acontecer com as pessoas que transformam os limões da vida em limonada – que vendem com lucro –, para ele, todo desastre vira uma aventura.

Deborah Coddington

Aquele parecia um texto profético, no que se refere à onda gigante. Mal sabia a jornalista que eu enfrentava um desastre. No entanto, tal como os limões viram limonada, o desmoronamento da minha família seria o início do pensamento saudável.

A morte frequentemente é seguida de um nascimento. Da floresta destruída pelo fogo surgem novos brotos. Mesmo depois de assistir ao documentário na televisão e ler a matéria na revista, eu só conseguia sentir tristeza. Contratei uma babá e, durante seis meses, lutei para administrar a casa, os filhos e os negócios. Hoje vejo que, na verdade, eu lutava contra as minhas emoções.

Até que precisei viajar à Austrália, para presidir uma grande conferência. Perturbado, liguei para minha mulher, na Nova Zelândia, para ver como iam as coisas. Ela contou estar recebendo a visita de um dos meus melhores amigos, que divertia as crianças com suas brincadeiras.

Eu pensava de maneira doentia. Comecei a enxergar o futuro através de uma bola de cristal distorcida pelos meus pensamentos. Em vez de ver na atitude da minha mulher um meio de me tranquilizar, dizendo que ela e as crianças estavam bem, imaginei-me substituído pelo amigo, que assumia a família que era minha e vivia feliz.

Chorei durante horas. Sentia-me completa e absolutamente infeliz. Em seguida, porém, precisei levantar a cabeça para presidir a conferência de Sydney e fazer uma palestra. Agi como se tudo estivesse sob controle. A plateia riu das minhas piadas. Deu certo. Mas logo que o show terminou, voltei para o quarto e recomecei a chorar.

Até que ouvi uma batida na porta. Era um amigo, acompanhado do professor Peter Yellowlees, um eminente psiquiatra, reconhecido mundialmente como expert em internet e em telemedicina. Pensei que quisessem me internar.

Nada disso. O professor queria me pedir um favor. Como eram muitos os participantes da conferência, não havia acomodações para todos. A única cama vaga estava no meu quarto. Ele queria saber se eu me importaria de ficarmos juntos!

Aquela foi, provavelmente, uma das noites mais longas da minha vida. Tive de falar sobre medicina pela internet, sobre investimentos e sobre uma porção de outros assuntos. Tudo o que eu queria era dizer a ele que estava clinicamente deprimido. Tudo o que eu queria era a minha família de volta. Pouco me importava estar vivo ou morto. Não consegui dormir. Fiquei lá, deitado, ouvindo a respiração do professor.

Eu estava mal da mente, não era eu mesmo. William, então, sugeriu-me deixar o cargo de CEO da *Doctor Global.* Este foi um baque pelo menos tão tumultuoso quanto a primeira onda gigante, e um rude golpe na minha confiança. Fiquei tão esgotado e ferido quanto daquela vez, em Java, só que emocionalmente.

Por quase quatro anos, a *Doctor Global* tinha tomado meus pensamentos em todas as horas que passei acordado. Mas eu sabia que alguns empreendedores cometem o erro de permanecer no cargo por tempo demais. E reconhecia a necessidade de habilidades diferentes das minhas. Então, afastei-me. William assumiu temporariamente como CEO. A bolha pontocom estourou, e as ações de empresas ligadas à tecnologia quebraram; isso aconteceu a milhares de empresários e investidores no mundo inteiro. Encontramos outro CEO para a *Doctor Global,* na qual passei a atuar apenas como consultor. A empresa existe até hoje, como eu estava convencido de que aconteceria, pois nosso modelo de negócios fazia sentido.

O que sobe pode descer.

Planeje sempre uma saída estratégica.

Capítulo 5

DESESPERO E DEPRESSÃO - A TERCEIRA ONDA GIGANTE

No tempo em que eu estava inteiramente envolvido com a *Doctor Global*, um grande grupo de gestão de saúde dos Estados Unidos, com 8 milhões de pacientes, candidatou-se a usar o software da empresa. O negócio se completou. Para isso, precisei do trabalho árduo de programadores e executivos, mas a ideia funcionou – e funciona até hoje. Agradeço por seus esforços.

Considero o software que criamos parte do sonho e da visão. Ninguém pode nos tirar essa realização, mais gratificante do que dinheiro, pode acreditar. Tal como Sir Tim Wallis, o piloto de helicóptero de que já falamos, meu divórcio provou que eu não era o CEO que pensava ser – e que outros pensavam que eu fosse. Mas a visão da *Doctor Global* era sólida.

Em determinado estágio, minha participação na empresa valia potencialmente mais de 6 milhões de dólares. Outra maneira de pensar nisso é dizer que minha formação custou 6 milhões de dólares. Por causa disso, fui indicado para fazer parte da junta interina de um grupo do governo chamado Health Intelligence. Agora, compareço a encontros e conferências onde se discutem ou se põem em prática meus conceitos originais.

No entanto, a deterioração da minha saúde mental, além de vários outros fatores, fez com que os investidores, inclusive eu, se vissem reduzidos a quantias homeopáticas, em termos de dividendos.

O grande crash da tecnologia e a explosão da bolha pontocom

tornaram quase impossível conseguir mais capital. A empresa havia acertado receber milhões de dólares em uma segunda rodada de investimentos, mas o dinheiro nunca chegou. Estávamos diante da insolvência ou da diluição (redução do valor das ações no patrimônio líquido, por causa da emissão de novas ações). Escolhemos o menor dos males, a segunda opção.

Durante semanas, não saí de casa. Sentia-me um traidor, pelo fato de os preços das ações terem despencado. Achei que tivesse cometido uma falha, e que talvez as pessoas ficassem com raiva de mim. Mas seria aquele um pensamento verdadeiro? A empresa ainda funcionava, e continuávamos a construir o produto. Éramos bem-sucedidos; somente o valor das ações era terrível. Não havíamos esmorecido, e embora talvez ninguém tivesse perdido mais tempo e dinheiro do que eu, a culpa não era toda minha. Fiz o que fui aconselhado a fazer, e o que achei melhor, até deixar o comando. Quase todos os acionistas foram solidários, serenos e compreensivos. Naquela oportunidade, descobri quem eram meus verdadeiros amigos.

> LEMBRO-ME DE TER LIDO QUE THOMAS EDISON TENTOU 9.999 VEZES CRIAR A LÂMPADA ELÉTRICA ANTES DE OBTER SUCESSO. ELE NÃO VIA AQUELAS TENTATIVAS COMO FRACASSOS, MAS COMO DESCOBERTAS – DE OPERAÇÕES QUE NÃO FUNCIONAVAM.

Eu tinha a escolha de receber mal os novos grandes acionistas ou pensar que conservava 500 milhões de ações da empresa. Ainda trabalho para a *Doctor Global* como contratado e ainda acredito no conceito original. Desistir de tudo não traria benefício algum.

Creio que aqueles que me apoiaram e investiram em mim serão bem recompensados. Não me esqueci deles. O melhor que posso fazer é aprender com a experiência da diluição e evitar os mesmos riscos no futuro. Sem o sofrimento causado pelos negócios e pelo meu divórcio, eu não seria tão feliz quanto sou, e não estaria em posição de ajudar tanta gente.

Lembro-me de ter lido que Thomas Edison tentou 9.999 vezes criar a lâmpada elétrica antes de obter sucesso. Ele não via aquelas tentativas como fracassos, mas como descobertas – de operações que não funcionavam.

É preciso se recuperar e tentar de novo. Sem as experiências pelas quais passei e o período sombrio de depressão que vou descrever, não teria descoberto o pensamento saudável nem criado *The Attitude Doctor.*

Começou a espiral de insatisfação. A partir do afastamento da empresa na qual havia investido tanto e da dissolução da minha família, meu pensamento foi ficando doentio e destrutivo. E quase me levou à morte.

Uma onda gigante de desespero estourou em cima de mim. Um dia, eu simplesmente parei. Tinha pela frente uma semana de plantões noturnos no setor de emergência do hospital onde trabalhava desde que passei a período de meio expediente na *Doctor Global.* Telefonei, avisando que estava doente e não iria mais lá.

A doença durou três meses. Pela primeira vez, não me sentia seguro para tomar decisões acerca da vida alheia. Não conseguia dormir nem parar de chorar. Com um atestado médico e uma receita em mãos, comecei a perceber como são inadequados os tratamentos oferecidos para a depressão profunda em que me encontrava.

O primeiro dia depois de deixar o cargo de CEO tinha sido um pesadelo. Estava acostumado a 100 e-mails e 30 telefonemas por dia, além de muita atividade. De repente, tudo cessou. Era como se eu vivesse a vida de outra pessoa. Fez-se silêncio. De um dia para outro, eu deixara de ser uma pessoa importante para ser ninguém. Foi assustador. Entrei em pânico. Só recebia um ou outro telefonema. Que fracasso!

O segundo dia também foi um pesadelo. Assim como as primeiras seis semanas, na verdade. Todo dia, eu tomava o antidepressivo e esperava que fizesse efeito. Para me exercitar, levava o cachorro a um passeio de uma hora por florestas e riachos. Fazia o que há anos vinha ensinando aos pacientes. Por experiência, eu sabia que tinha de melhorar, mas sempre ficava uma dúvida. Acho que agora sei por que as pessoas tiram a própria vida. Já imaginou sentir-se para sempre como eu me sentia? Exercício físico é bom porque estimula a produção de endorfinas, que provocam sensação de bem-estar. Além disso, eu tinha a sensação de ter aonde ir.

Sempre fui uma pessoa bem-sucedida, e raramente experimentei o fracasso. Consegui quase tudo que quis, com trabalho árduo e metas bem estabelecidas. Naquele momento, porém, estava reduzido ao mínimo dos mínimos.

Um dos momentos definitivos do meu período de depressão foi quando descobri que era alérgico a ela. Seria difícil encontrar alguém mais motivado do que eu para vencer a depressão. Tinha verdadeiro ódio dela.

A EXPOSIÇÃO CONTÍNUA A PENSAMENTOS DOENTIOS PODE REDUZIR A SEROTONINA E OUTRAS SUBSTÂNCIAS QUÍMICAS LIGADAS AO HUMOR, LEVANDO À DEPRESSÃO PROFUNDA.

Eu não queria estar paralisado. Queria melhorar e ser feliz, mas me faltava algo. Minha orientação para o sucesso e a costumeira persistência, no entanto, ajudaram. Li inúmeros livros sobre terapia cognitivo-comportamental e terapia emotivo-racional. Mesmo para mim, médico e cientista, eram complexos e confusos, em sua maioria.

Boa parte daqueles três meses foi dedicada à leitura, aos exercícios e aos medicamentos receitados pelo especialista, que acredito tenha colaborado para restaurar meus níveis de serotonina, mas não deu jeito no meu pensamento doentio.

O pensamento saudável é capaz de tratar o desespero provocado pelo pensamento doentio. A exposição contínua a pensamentos doentios pode reduzir a serotonina e outras substâncias químicas ligadas ao humor, levando à depressão profunda. O ambiente interage com nossos genes para criar o que somos. O pensamento saudável consegue aliviar muito da potencial ameaça representada pelo ambiente.

Não sei se vou ficar deprimido outra vez. Espero que não. Se tiver uma deficiência bioquímica e voltar a precisar de medicamentos, vou tomar, consciente porém de que o pensamento saudável continuará a agir como minha mais forte medida preventiva.

Felizmente, remédios e exercícios começaram a fazer efeito. O funcionamento da minha mente aos poucos se aproximou do nível de raciocínio a que eu estava acostumado, e minha confiança foi voltando. Comecei a conseguir dormir. Os pensamentos que se têm às 2 da manhã são, em sua maior parte, doentios. Acordar regularmente às 4 horas pode ser sinal de depressão, devido à baixa de serotonina e de outros neurotransmissores.

Por algum tempo, a falta de telefonemas me deprimiu. Eu me sentia só. Na verdade, a depressão já foi descrita como a doença da solidão. Gradualmente, comecei a raciocinar.

Pensei que era bom dispor de um pouco de espaço. Mudei meu modo de ver: a falta de mensagens significava paz e sossego para que eu pudesse tocar outro projeto – escrever um livro, por exemplo. Eu, que costumava reclamar do excesso de telefonemas, estava aborrecido com a falta deles.

Então, raciocinei que o meu aborrecimento não mudava coisa alguma. Se queria receber telefonemas, eu devia ligar para as pessoas e deixar mensagens em suas secretárias eletrônicas. Pelo menos a metade delas responderia no espaço de 24 horas. Assim, se eu quisesse receber cinco ligações por dia, tinha que telefonar para dez pessoas!

O importante é que, controlando a minha atitude, eu podia controlar os acontecimentos. O número de telefonemas recebidos diariamente dependia mais de mim mesmo.

No entanto, faltava alguma coisa. Eu não raciocinava direito. Ainda tinha pensamentos doentios que facilmente me lançariam outra vez na escuridão. A dissolução da família era como a morte de um parente. A simples menção ao fato me paralisava e me impedia de aproveitar a vida. Consultei meu seguro de saúde acerca da terapia cognitivo-comportamental, um tema abordado rapidamente na faculdade de medicina. Eles concordaram em me mandar até Auckland, para uma consulta com um novo psicólogo, perito nessa abordagem.

Como um aparte, quero contar que, anos antes, eu tivera contato próximo com a depressão grave, através de um amigo, o dr. Mike Cox, a quem dedico este livro. Por isso sabia que a coisa era séria. Eu havia trabalhado no setor de emergência e na enfermaria de AIDS do San Francisco General Hospital, e voltava para casa.

No caminho, surfei na América Central, cliniquei em uma cidade produtora de ostras chamada Bluff (onde aproveitei para comer o produto local), escalei montanhas, esquiei, e experimentei voo de asa delta e outros esportes radicais.

Uma vez de volta, passei uma semana fantástica esquiando até cansar nas montanhas com esse bom amigo, o dr. Mike Cox. Fomos ao divisor onde Sir Edmund Hillary, o neozelandês que participou do primeiro grupo a escalar o monte Everest, começou sua carreira de alpinista e explorador. Acordávamos todo dia às 4 horas para esquiar na geleira banhada pelo luar, ao som dos grandes rochedos de gelo que se desfaziam no monte Cook ou Aorangi, o ponto mais alto da Nova Zelândia.

Com proteção nos calçados, subíamos a montanha principal. Víamos o sol nascer do mar na costa leste e se pôr no mar na costa oeste. No mesmo dia e do mesmo local.

Infelizmente, anos mais tarde, a depressão e os pensamentos de Mike tomaram grandes proporções e o levaram a pôr fim à própria vida. Ele era um bom médico, excelente canoísta de corredeiras, exímio esquiador e participava de campeonatos de voo livre. Não se passam muitos dias sem que eu pense naquele sujeito divertido, talentoso e bem-sucedido, e sinta sua falta.

Tive outros amigos e pacientes bem-sucedidos e cheios de vida que tiveram dias sombrios e desejaram morrer. Alguns buscaram ajuda. Outros agiram por impulso, sem deixar explicação. E outros estavam sem medicamentos.

Pela minha experiência de médico no estudo e atendimento de pessoas que tentaram o suicídio, o que mata não é o Prozac, mas a depressão e o pensamento doentio. Quando estudante de medicina, pesquisei dez anos de boletins de ocorrência arquivados na polícia, e daí escrevi: "Pode-se prever ou evitar o suicídio?"

No meu estudo, descobri que uma porcentagem significativa de suicidas eram indivíduos deprimidos. Em muitos casos, tratava-se de atos impulsivos praticados por jovens abandonados pelos parceiros ou que tinham sofrido uma perda importante.

A DEPRESSÃO FREQUENTEMENTE NÃO É UMA LINHA RETA.

Eu não queria acabar como eles, e o fato de a ideia me passar pela cabeça me levou a procurar aconselhamento com outro profissional. Foi ótimo. Eu estava ansioso para me curar. E ele me mandou na direção certa.

Os terapeutas que eu havia consultado anteriormente pouco fizeram. Com alguns, a conversa não passava de:

– Você disse que está infeliz.

– Isso mesmo.

Minha vontade era acrescentar:

– Dê um jeito nisso!

Mas eles não o fizeram. Nem poderiam. A depressão frequentemente não é uma linha reta. Na minha opinião, a melhor maneira de dizer se um tratamento está funcionando é: você está melhor? E eu não estava!

Devo enfatizar que é difícil praticar o pensamento saudável quando se está clinicamente deprimido ou com baixos níveis de serotonina no cérebro. Pela minha experiência com depressão moderada ou grave, antidepressivos e pensamento saudável funcionam melhor juntos. Às vezes, o pensamento saudável pode fazer você se livrar do medicamento mais cedo. Pode-se considerar o pensamento saudável uma forma de terapia cognitivo-comportamental (TCC), para aqueles que sabem o que é isso. No entanto, acho mais fácil ensinar as pessoas a pensar de maneira saudável do que dizer que estou recomendando TCC.

Se você tem desânimo, irritabilidade, dificuldade de concentração, falhas de memória, alterações no peso ou no apetite, ideias suicidas, diminuição da libido, dores que não sentia antes, falta de energia ou motivação, dorme mal ou acorda muito cedo (sem uma boa razão), se deixou de encontrar prazer nas atividades de que gostava (música, por exemplo), consulte um médico. Existem novos antidepressivos que ajudam a restabelecer a serotonina e podem salvar a sua vida. Se você apresentasse todos aqueles sintomas dia após dia e pensasse não haver solução, não cogitaria o suicídio?

A DEPRESSÃO PODE SER O RESULTADO DA COMBINAÇÃO DE PENSAMENTO DOENTIO COM BAIXOS NÍVEIS DE SEROTONINA E OUTROS NEUROTRANSMISSORES.

A depressão pode ser o resultado da combinação de pensamento doentio com baixos níveis de serotonina e outros neurotransmissores. Tenho certeza de que fatores diversos, como sol e temperatura, também influem. Existe mesmo uma condição conhecida como Desordem Afetiva Sazonal (DAS).

No exercício da medicina, passei milhares de receitas para tratar a depressão, e já vi todo tipo de resultado, do máximo ao mínimo. Tenho consciência do estigma dessa condição na nossa sociedade. Digo aos meus pacientes que eles devem pensar na depressão como se fosse diabetes ou asma, só que na cabeça. Ninguém deve se envergonhar por apresentar um desequilíbrio químico e precisar de medicamentos. A maioria faz isso e melhora. Se eu dissesse aos meus pacientes diabéticos que jogassem fora a insulina e procurassem se curar por contra própria, estaria sendo negligente – louco, mesmo. Às vezes, é necessário completar os níveis de serotonina, e isso, definitivamente, só se consegue com remédios.

No decorrer dos anos, tenho visto muita gente receber a indicação do uso de antidepressivos. Por quê? Porque eles podem salvar vidas, com certeza. Mas seriam eles receitados como se fossem a cura completa? Eu lembro quando me receitaram antidepressivos. Fiquei grato por contar com alguma coisa que mudasse o que eu sentia, que me fizesse dormir. No desespero, eu me agarraria a qualquer coisa. Mas sabia que tinha que haver algo mais.

Certa vez, a descrição feita por um paciente mostrou que ele passava pelo mesmo que eu havia passado. Ele acordava de manhã, olhava para fora e pensava: "Que belo dia!" Então, lembrava-se: "Sou um homem acabado, destruído." (Ele havia rompido com a namorada.) Pronto. Bastavam alguns segundos para a ideia tomar conta dele e gerar as sensações correspondentes. Um minuto parecia durar uma hora; uma hora, um dia; e um dia, uma semana.

Perguntei por que se sentia assim. "Eu a amo e não posso viver sem ela", foi a resposta.

Então, eu quis saber se ele acreditava realmente no que dizia. Afinal, tinha vivido sem ela até conhecê-la, aos 32 anos. E estava apenas com 33!

Eis o que eu disse a ele:

– Isso não foi um desastre. Foi uma oportunidade de crescimento, de se pôr em ordem e examinar os motivos do rompimento. Vai ser difícil, a princípio, mas se você se organizar, vai conseguir se recuperar. Pode até encontrar alguém melhor! E, se mudar o modo de pensar, pode substituir o desânimo pelo entusiasmo.

Aquelas palavras voltaram para me assombrar. Quando os níveis de serotonina estão baixos, é difícil raciocinar de maneira saudável – mas não impossível. Eu, que havia prescrito milhares de doses de antidepressivos, vi chegada a hora de tomar meu próprio remédio. Esperei pelo efeito, sabendo que demoraria pelo menos duas semanas.

Eu era então um depressivo "secreto". Não queria que ninguém soubesse. Tinha vergonha. Como aquilo podia ter acontecido comigo? Eu era médico. Devia saber. Era difícil dizer para mim o que eu tão tranquilamente dizia aos pacientes: que se trata apenas de um desequilíbrio químico ou uma espécie de gripe na cabeça. Por algum tempo, a depressão fez com que eu me sentisse um perdedor e tentasse esconder minha condição.

Eu podia perder meu brevê de piloto, minha ocupação, meus amigos, meus filhos e o respeito próprio. Aliás, este já estava perdido, ao ver irem embora a mulher e o cargo de CEO. Primeiro, chamei minha depressão de estresse. Depois, de síndrome da deficiência de serotonina. Estas pareciam denominações menos estereotipadas do que "depressão". E eu não queria ser rotulado.

Hoje, falo abertamente sobre o que passei, e fico impressionado com a quantidade de pessoas que se mostram compreensivas. "Eu teria sentido o mesmo", dizem. Pensei que seria discriminado, mas isso não aconteceu. Minha coragem de falar chega a despertar admiração. Eu é que pensava de maneira doentia.

Qual seria a opinião das pessoas sobre um médico deprimido? Um fracasso? Um amigo e colega de profissão disse não achar boa a ideia de escrever um livro para expor minha vida pessoal e os tempos difíceis que atravessei. Mas eu senti ser minha obrigação deixar claro que, se posso ficar deprimido, qualquer um pode. Precisei de algum tempo para tomar coragem e "sair do armário" da depressão. Ainda hoje, ouço colegas dizerem que eu deveria esconder o fato. No entanto, acredito que tal atitude só serviria para alimentar o estigma de que depressão é sinal de fraqueza. Ninguém pede a um diabético que mantenha segredo sobre seus níveis de glicose no sangue.

Durante muito tempo, porém, escondi minha depressão. Foi somente depois que desenvolvi o pensamento saudável que passei a ensinar as técnicas aos pacientes. Hoje, digo a eles que já senti o que sentem. Minha descrição frequentemente os faz rir. Você pensava que indivíduos deprimidos fossem incapazes de rir? Pois alguns conseguem – talvez só por um segundo –, e digo a eles que existe luz no fim do túnel. E não é um trem que se aproxima. Estar deprimido é como permanecer em um buraco escuro, cercado de neblina, e não enxergar a saída. Sem esperança, a vontade é de morrer.

A depressão gera um sofrimento intenso. Quem nunca teve não compreende. Tal como um homem encontra dificuldade em entender a dor do parto ou da perda de um filho. Talvez eu esteja errado, mas acho o sofrimento e a agonia que vejo no rosto das mães, quando recebem a notícia da morte de um filho, diferente da expressão de dor que percebo nos pais.Eu me lembro de estar tão deprimido, que desejei morrer. Foi horrível. Mas meus filhos eram pequenos. Eu sabia dos efeitos que o suicídio provoca nos pais, filhos e amigos de quem fica, e não queria causar dor nem dar mau exemplo. Só queria acabar com o meu sofrimento. Estava cansado de me sentir daquele jeito.

Eu tinha trabalhado em um necrotério, fazendo necropsias. Tinha visto a expressão de susto e incredulidade no rosto de jovens que tiraram a própria vida. Era como se houvessem percebido tarde demais o erro que cometeram por impulso.

Como já vimos, minha pesquisa demonstrou que muitos suicídios eram atos impulsivos cometidos por jovens que haviam sofrido mágoa ou rejeição. Muitos nem estavam deprimidos; sentiam raiva ou tristeza. Outros vinham de uma depressão crônica; estavam cansados de sofrer.

Com o aumento da minha motivação, visitei por três vezes o novo terapeuta em Auckland. As palavras que me acertaram bem no meio dos olhos, como um raio, foram: "Você vai deixar que a partida da sua mulher arruíne por completo a sua vida?" Aquela pergunta simples me fez entender que eu estava preso ao passado – ao que tinha deixado de ser – e não voltado para o futuro. Eu precisava me desapegar e seguir adiante. Isso mesmo! Era a primeira vez que via as coisas desta maneira.

Mais tarde, fui ver o Dalai Lama. Eu me lembro de ouvi-lo dizer que, se pensasse em seu exílio longe do Tibete de modo negativo, enlouqueceria. Há muito ele não via sua terra nem seus parentes. Este seria um motivo para sentir-se triste. No entanto, o fato de ser o Dalai Lama no exílio lhe abrira muitas portas. Tinha viajado e divulgado a paz. Por meio dele, muita gente tinha aprendido sobre o Tibete e se tornado pacifista.

"Quem sabe este é o meu jeito de transformar o limão em limonada?", pensei. Comecei a buscar maneiras de crescer, aprender e ajudar outros que enfrentassem os mesmos problemas. O divórcio me abrira novas portas, e eu podia fazer muito mais.

Faz pouco tempo, conversei com um paciente que há 20 anos vivia de auxílio-doença. Quando perguntei por quê, ele me disse que uma depressão profunda o impedia de trabalhar. No entanto, expliquei, conheço médicos, advogados, músicos e políticos que passaram pelo mesmo processo e continuam a trabalhar. Ele estava medicado e permanecia estável há anos. Eu disse que ele poderia trabalhar, não como piloto, por exemplo, mas isso também não seria possível a um diabético ou epilético. O desequilíbrio químico é semelhante.

Sugeri que lhe faltava confiança, apenas. Ele ainda poderia ser um membro valioso para a sociedade. O homem me apertou a mão, agradecido, dizendo que eu tinha sido o único médico a se interessar por sua situação; o único a não considerá-lo um fracasso devido à doença. Claro que outros o tratariam da mesma forma. O importante, porém, é que ele saiu disposto a arranjar um emprego. Já fazia planos. Estava feliz por não depender mais do auxílio-doença. E começou a pensar de maneira saudável.

Se você apresenta sintomas de depressão, não tenha medo de procurar ajuda profissional qualificada.

Isto é importante para que você se sinta melhor. E pode salvar-lhe a vida.

PARTE 2

Técnicas de pensamento saudável

CAPÍTULO 6

PENSAMENTO DOENTIO

Se eu lhe pedisse agora para experimentar o máximo possível de raiva ou estresse, o que você faria? Você teria que pensar em uma situação que lhe provocasse tais sentimentos: talvez a falta de atenção do chefe ou o esquecimento do marido ou da mulher, que deveria ter levado o lixo para fora. O importante é que:

Pensamentos criam emoções

Não se pode sentir uma emoção sem antes experimentar um pensamento. É impossível.

Às vezes, o pensamento é tão rápido, que nem percebemos. Digamos que você atravesse um bar lotado, e alguém lhe dê um tapa no rosto. Se você achar que foi de propósito, provavelmente vai se zangar. A sua reação pode ser o revide, dependendo do tamanho da outra pessoa em relação ao seu. Ou talvez você prefira não reagir, conforme a sua atitude em relação à violência e a sua necessidade de autopreservação.

No entanto, se você achasse que a pessoa que lhe deu o tapa tem dificuldade de coordenação motivada por paralisia cerebral, estava sofrendo uma crise de epilepsia, ou que tudo não passou de um acidente, é provável que a sua resposta fosse outra. Em vez de reagir, talvez você oferecesse ajuda.

Portanto, o mesmo evento pode causar emoções diferentes, de acordo com a ideia despertada. Os anos que passei exercendo a medicina e oferecendo ajuda ensinaram-me que emoções doentias, em sua maior parte, vêm de pensamentos doentios. Se você praticar e desenvolver o pensamento saudável, é provável que experimente emoções como contentamento, felicidade e confiança. Se, no entanto, o seu pensamento for doentio, a tendência será sentir culpa, inveja, rancor e raiva.

O pensamento doentio de nada serve; é pura perda de tempo. Muita gente me pergunta como posso ser assim tão feliz e produzir tanto. A resposta é: pensamento saudável. Honestamente, posso dizer que passo menos de um minuto por semana sentindo o que chamo de emoções doentias - estresse, ansiedade, ressentimento, rejeição, tristeza, raiva, desapontamento, frustração, culpa e ciúme.

> O PENSAMENTO DOENTIO PODE LEVAR A GRANDES PREJUÍZOS EM PRODUTIVIDADE E VENDAS, ALÉM DE AUMENTO EM QUEIXAS PESSOAIS, DESPERDÍCIO DE TEMPO, ACIDENTES, DOENÇAS E INSATISFAÇÃO.

Assim que percebo a chegada de uma dessas emoções, faço minha álgebra emocional. Ao identificar pensamentos doentios e interrompê-los ou alterá-los, consigo mudar rapidamente para um modo de pensar produtivo e saudável.

Se você ou os seus empregados sentirem emoções doentias durante 30% do dia de trabalho, haverá pelo menos 30% de perda em eficiência. O pensamento doentio pode levar a grandes prejuízos em produtividade e vendas, além de aumento em queixas pessoais, desperdício de tempo, acidentes, doenças e insatisfação.

Quando você se convence de que a mudança nos pensamentos leva à mudança nos sentimentos e aprende a controlar as ideias que passam pela sua cabeça, tem meio caminho andado.

Pensamentos criam sentimentos. Portanto, se você mudar o modo de pensar, vai mudar o modo como se sente.

Anote a porcentagem do dia que você gasta com cada uma destas emoções doentias:

	Porcentagem (%)
Raiva	
Ansiedade	
Desapontamento	
Frustração	
Culpa	
Ciúme	
Rejeição	
Ressentimento	
Tristeza	
Total	%

Essa porcentagem representa a ineficiência – sua ou da empresa. E o restante do tempo não será bem aproveitado, devido à influência dos sentimentos negativos. Imagine de quanto tempo e energia você disporia, se utilizasse a álgebra emocional para virtualmente eliminar os prejuízos causados pelas emoções doentias.

Quanto mais tempo e energia disponíveis, maior o seu sucesso. Com a melhoria da saúde mental, melhora a saúde física e aumenta a produtividade. Assim, você vai se concentrar e alcançar mais facilmente as metas estabelecidas.

Capítulo 7

ÁLGEBRA EMOCIONAL

Você sabe contar até três? Então, é capaz!

Quando descobri que pensamentos criam emoções, eu tive parte da equação. E comecei a usar a fórmula para alcançar minhas metas.

Causa + Pensamento = **Emoção**

Ao sentir uma emoção doentia, subtraia a causa, para identificar o pensamento.

Emoção - Causa = **Pensamento**

Lembra o exemplo do tapa no rosto? Se precisar refrescar a memória, volte às páginas 79 e 80.

Talvez o tapa fosse a causa de um pensamento imediato: "Estou sofrendo uma agressão." Mas antes de decidir a reação, é preciso analisar o pensamento.

1. É verdade que se tratava de uma agressão?

Aqui está uma lista de ideias que posso ter usado para explicar o tapa:

- Ele me atacou.
- Como sou forte, ele me provocou para uma briga.

- Ele sofre de paralisia cerebral.
- Ele estava tendo uma convulsão.
- Ele contava uma história e, ao mostrar o tamanho do peixe que tinha pescado, me deu um tapa sem querer.
- Ele me confundiu com outra pessoa.
- Era um amigo meu, e tudo não passou de brincadeira.

Na realidade, o homem contava uma história de pescador e me atingiu acidentalmente. Eu não fui atacado, como pensei de início. Meu primeiro pensamento foi doentio.

2. O primeiro pensamento que tive me ajudou a alcançar meu objetivo?

Não. Meu objetivo era passar momentos de lazer no bar. Portanto, envolver-me em uma briga não ajudaria em nada.

3. O pensamento doentio valeu a pena?

Não. Não contribuiu para o meu prazer nem me levou a lugar algum. Só provocou emoções doentias. Logo, seria melhor interromper ou mudar o pensamento.

Uma vez identificado o pensamento doentio, você pode escolher entre interromper, deixar para depois, mudar ou esquecer. Se quiser mudar, precisa entender a seguinte equação:

Atitude + Comportamento = **Objetivo**

Ou, em outras palavras:

Escolha a atitude e em seguida ponha o comportamento em ação para alcançar o seu objetivo.

Ensino as pessoas a determinar o objetivo e, em seguida,

escolher a atitude e o comportamento de que precisam para alcançá-lo. Em outras palavras:

Objetivo - Comportamento = **Atitude**

Assim como é capaz de criar emoções e comportamentos diversos, o pensamento pode levar a vários resultados.

No momento em que recebi o tapa no rosto, se não tivesse praticado a álgebra emocional e percebido que se tratava de um acidente sem maiores consequências, a situação poderia ter outro desfecho.

Tenho sete ideias possíveis, que poderiam provocar sete comportamentos e resultados diferentes:

- procurar provas de que ele era portador de alguma doença
- pedir uma tomografia do cérebro
- arregaçar as mangas para a ação
- chamar a polícia
- dar um soco no homem
- sorrir, aceitar o pedido de desculpas e seguir em frente
- dar um abraço no outro

Se cada resultado criar outras sete decisões e resultados possíveis, a vida pode tomar diversas direções. Digamos que você tenha dez motivos em um dia, e que cada um crie sete pensamentos e resultados. Isso significa que:

7 x 7 x 7 x 7 x 7 x 7 x 7 x 7 x 7 x 7 = **282 milhões de escolhas em um dia**

A sua vida pode tomar 282 milhões de direções diferentes em um dia!

Você pode escolher assim a direção que a sua vida vai tomar:

Mude os seus pensamentos, depois escolha a sua atitude e adote um comportamento.

Você poderia, por exemplo:

1. Programar o despertador e acordar cedo.
2. Ir de carro ao supermercado.
3. Encontrar um amigo.
4. Tomar café com ele.
5. Encontrar outro amigo e receber um convite para uma festa.
6. Ir ao centro da cidade.
7. Dobrar à esquerda, em uma rua desconhecida.
8. Descobrir uma loja nova.
9. Comprar uma roupa bonita.
10. Ir à festa e conhecer a mulher ou homem mais atraente do planeta, apaixonar-se perdidamente e viver feliz para sempre em sua companhia.

Ou então, poderia:

1. Não programar o despertador e acordar tarde.
2. Ir a pé ao mercado.
3. Comprar um bilhete de loteria.
4. Voltar a pé para casa.
5. Ler um livro e inspirar-se a fazer uma coisa (entre sete possibilidades), dependendo do teor do livro.
6. Cuidar do jardim.
7. Dormir, acordar e decidir fazer uma de sete coisas diferentes.
8. Comprar outro bilhete de loteria.
9. Verificar os resultados da loteria.
10. Não ganhar, ganhar um prêmio pequeno ou ganhar um prêmio grande.

Você poderia ainda passar o dia todo no sofá, com milhões de pensamentos e nenhuma ação. Lembre-se, porém, de que um sonho sem ação não passa de alucinação. Você pode mudar muitas vezes o pensamento e escolher várias atitudes, mas precisa realmente se mexer e fazer alguma coisa para dar início à mudança e alcançar os seus objetivos.

> Antes de escolher a sua atitude e adotar comportamentos que levem ao sucesso, **você tem que eliminar o pensamento doentio.**

Capítulo 8

ESCOLHA A SUA ATITUDE

A escolha da atitude certa é de importância crucial para o sucesso. Durante algum tempo, trabalhei intensamente como médico. Atendia cerca de 50 pacientes por dia. No trajeto para o consultório, a ideia do que teria pela frente já me deixava exausto. Às vezes, eram só cinco minutos para cada consulta – insuficientes para um bom atendimento. Eu preferia que fossem 30 pacientes no mesmo período, o que me permitiria mais comunicação e um trabalho melhor.

Eu poderia chegar estressado ao consultório e dizer a todo mundo que não gostava da situação. Mas optei por aproveitar aqueles momentos ao máximo e fazer o melhor trabalho possível, até que fosse contratado outro médico para dividir comigo a carga de trabalho. Apesar do curtíssimo tempo de que dispunha para os pacientes, eu ria e me concentrava em tornar mais rica a vida deles. Tratava cada um como se fosse o único, sem pensar nos anteriores nem nos que estavam na sala de espera.

Com aquela atitude, atravessei muitos meses. No entanto, acabei convencido da insegurança gerada pelo excesso de atendimentos. Com tanta demanda e tanta correria, era fácil deixar escapar alguma coisa. Por exemplo, eu perguntava aos pacientes se havia algo de errado com o funcionamento de seu intestino. Se a resposta fosse "não", eu passava para outra pergunta.

Em outra clínica, com uma carga de trabalho mais razoável, a investigação iria além, sobre a frequência das evacuações. Uma resposta do tipo "Na verdade, acho que são mais frequentes do que o normal" levaria a perguntas sobre a cor e o aspecto, já que fezes escuras, semelhantes a alcatrão, podem ser indicativas de câncer de intestino.

Em apenas cinco minutos, ficava difícil "ir a fundo". Meu objetivo era oferecer medicina de qualidade. Precisava mudar de atitude e de comportamento para alcançar aquele objetivo. Depois de uma conversa com o administrador da clínica, decidi só trabalhar com segurança.

Na função de diretor e médico de uma clínica grande e movimentada, sempre acreditei em ser positivo com os pacientes. Sempre procurei ensinar aos médicos e à equipe de apoio a trabalhar com alegria e dar importância a todos. O trabalho feito com prazer é mais compensador e oferece mais oportunidades. Emoções, atitudes e comportamentos doentios prejudicam qualquer ambiente de trabalho – a produtividade cai e os clientes reclamam.

O pensamento saudável exige prática. Mesmo depois de escrever este livro, preciso me lembrar de escolher as minhas atitudes e de tornar o trabalho uma fonte de prazer, até para os doentes.

Depois de estabelecer o seu objetivo, você deve identificar a atitude necessária para alcançá-lo. Nem sempre vai ser fácil. Se os resultados desejados não chegarem, escolha uma de várias atitudes alternativas. Aqui estão alguns exemplos:

O Jogo da Culpa

É culpa deles.

É difícil conseguir bons funcionários

O mercado não está pronto.

Sou um fracasso.

Perdi o contrato.

Estou condenado.

Como ousa me criticar?

Como eles souberam?

Não vai dar certo.

Recusa em Desanimar

O que poderia fazer diferente?

Preciso treinar a equipe.

O conceito deve ser desenvolvido.

Foi uma lição valiosa.

Tenho tempo para aperfeiçoar o processo.

Agradeço pelo conselho.

Que boa ideia!

Vai demorar um pouquinho.

Vê-se facilmente qual das atitudes vai contribuir para que você alcance seu objetivo.

Trocamos de roupa todo dia. Por que não podemos trocar o que temos por dentro? Podemos, sim. Se a sua atitude atual não dá certo, troque.

Não entendo como as pessoas persistem na mesma atitude por anos, mesmo quando não funciona. Quando uma equipe esportiva perde uma partida, não muda de tática? Los Angeles Lakers, Manchester United ou Dallas Cowboys insistem no mesmo plano defensivo, mesmo depois de perder cinco jogos seguidos por uma grande diferença? Insistem no mesmo plano ofensivo, se marcam poucos pontos? Não. O técnico deve trocar de estratégia, sob o risco de ser ele mesmo trocado.

Não se deixe assustar pela mudança.

O que desce pode subir.

Os seres humanos são criaturas de hábitos. Se você não se acostumou a mudar ou arriscar, comece devagar. Em vez de assistir aos mesmos programas de televisão, todas as noites, faça algo diferente.

- Assista a um outro programa
- Desligue a televisão

- Jogue cartas
- Leia um livro, para você ou para as crianças
- Faça massagem no(a) parceiro(a)
- Aprenda a tocar violão
- Prepare um plano de negócios
- Participe de reuniões
- Faça a prova para uma universidade
- Estude advocacia
- Escreva um livro
- Entre para a política
- Faça parte de um grupo de chat na internet
- Durma

Lembre-se de que sua vida pode tomar 282 milhões de rumos diferentes, dependendo do pensamento que você muda, da atitude que escolhe e do comportamento que assume. Por isso a vida é interessante. Ficamos tão obcecados com um único caminho que nos afligimos a cada desvio. O segredo está em mudar sempre de pensamento, atitude e comportamento para se manter no caminho do seu objetivo.

Gloria se candidatou ao cargo de CEO de uma multinacional. Até então, sempre havia conseguido os empregos para os quais se apresentara. Esperava ser contratada como CEO e disse aos parentes e amigos que o processo de seleção não passava de mera formalidade. Quando recebeu um telefonema avisando que não tinha sido escolhida, ficou arrasada. Tomada pelo sentimento de rejeição, não queria sair de casa nem falar ao telefone. Quando me procurou, Gloria estava envolvida no jogo da culpa, com raiva e desapontada. Acrescente a tudo isso inveja e arrependimento, e verá como sua atividade profissional ficou afetada.

Logo identificamos o pensamento que gerava a emoção. Gloria se considerava um fracasso por não ter conseguido o cargo. Estava preocupada com a possibilidade de outras pessoas pensarem o mesmo a seu respeito. Passava as noites em claro, tentando encontrar desculpas.

Perguntei a ela qual era seu objetivo. "Ser CEO de uma grande multinacional" foi a resposta. E aquela sensação de fracasso ajudava em alguma coisa? Não! Valia a pena pensar daquele modo? Não! O pensamento era verdadeiro? Acabaria sendo, se ela persistisse naquela atitude.

Quais seriam os possíveis pensamentos de Gloria, depois de não conseguir o emprego?

- Ela não apresentava o perfil do CEO
- Não haviam gostado dela
- Encontraram alguém melhor
- Procuravam por outro conjunto de habilidades
- Ela havia pedido um salário alto demais
- Ela não possuía o nível adequado de habilidades
- Ela não estava pronta
- Não era o emprego ideal para ela
- Ela precisava de mais treinamento
- Ela era superqualificada

Os pensamentos circulavam na mente de Gloria, impedindo o sono. Sugeri que ela entrasse em contato com a empresa de recrutamento para descobrir exatamente por que não tinha sido escolhida.

Daí a uma semana, Gloria foi me procurar novamente. Segundo lhe disseram, os empregadores em perspectiva haviam considerado sua personalidade muito empreendedora, o que talvez a fizesse se entediar e deixar o emprego em seis meses, no máximo.

Ela entendeu e concordou. De volta ao ponto de equilíbrio, abriu uma empresa própria e vai muito bem. Além do mais, está gostando de trabalhar por conta própria e da liberdade acompanhada de desafios de que pode usufruir.

Gloria vive seu sonho, em vez de sonhar a vida. Hoje, é CEO de uma multinacional. A importante diferença é que a empresa é dela.

A mudança de atitude não precisa ser complexa como a que Gloria teve de fazer. Talvez você deseje apenas um relacionamento melhor com os seus filhos adolescentes ou o seu animal de estimação.

Brian tinha um cachorro que costumava depositar grandes quantidades de cocô no gramado da frente. Furioso, Brian havia tentado várias estratégias e diversos remédios. Investiu uma pequena fortuna em produtos químicos, obstáculos de plástico, portões, coleiras e treinamento comportamental.

Quanto mais Brian se aborrecia, mais o cachorro fazia cocô no gramado! Ele começou a achar que era de propósito. Expliquei que os cães em geral defecam depois de uma caminhada, que lhes estimula o intestino. Sugeri então que ele levasse o bichinho para dar uma volta depois da refeição. Talvez fosse isso o que faltava.

Brian passou a caminhar com o cachorro regularmente. Ele reparou que o animal fazia seu cocô depois de uns 20 minutos de caminhada. Com o exercício, Brian melhorou da asma e perdeu dez quilos. Além disso, conseguiu uma boa economia, e seu gramado não é mais banheiro de cachorro!

Se mudar de atitude e de comportamento, você vai obter recompensas que jamais imaginou.

Susan tinha um vizinho um tanto tenso que estava construindo um barco e uma cobertura. Como as batidas e o barulho provocado pelas máquinas a incomodaram, Susan foi reclamar. Ele se ofendeu. Pouco tempo depois, Susan deu uma festa para alguns amigos. O vizinho, enfurecido, mandou que ela desligasse o som, ou ele mesmo cortaria a eletricidade da casa.

Ela vivia no campo, com muito espaço. Tinha avisado que daria uma festa e convidado o vizinho. Era uma reunião ao ar livre, à tarde, animada por uma banda.

Depois de ouvir a reclamação, Susan pensou em seu objetivo: promover uma boa festa. Então, pediu à banda que ficasse dentro de casa e abriu as portas. Achou que o vizinho devia estar passando por alguma dificuldade. Duas horas mais tarde, o tempo mudou, e um verdadeiro dilúvio desabou. Como a banda estava protegida dentro de casa, não houve problema algum. Sem querer, o vizinho fez um grande favor a Susan.

Daí a alguns meses, ela fez uma visita a ele. Levou uma garrafa de vinho e disse que lamentava qualquer aborrecimento anterior. Ela poderia ter escolhido continuar aborrecida. Poderia ter declarado guerra. Mas não fez isso. Quem saiu ganhando?

Faz pouco tempo, ouvi falar de uma pesquisa feita em uma escola da Palestina, onde se perguntou a meninas de oito anos de idade o que pretendiam fazer, depois de crescidas. Entre elas, 10% declararam pretender ser mulheres-bomba. Não é preciso ser um cientista israelense para dizer que, em 12 anos, teremos sérios problemas de segurança.

Ainda que metade das garotas desista da ideia, outros 10% podem juntar-se às que ficaram. De qualquer maneira, as coisas só vão ser diferentes se mudarem as atitudes. É muito mais fácil mudar de atitude do que construir muros mais altos ou bombas mais poderosas.

Você pode não ser do Oriente Médio nem da Terra Média. O seu espaço pode não estar ameaçado pelo Hamas, pelo Talibã, por exércitos invasores, por orcs ou mesmo por um vizinho. Os 15 anos de profissão me ensinaram que, quaisquer que sejam as circunstâncias, somos iguais em essência: cometemos erros e buscamos aceitação.

Depois de controlar as próprias emoções, é possível lidar com as emoções alheias. Você pode optar por uma atitude de benevolência, perdão e entendimento. Ou pode optar por uma atitude de culpa, castigo e condenação. Veja qual delas faz amigos e torna você uma pessoa mais feliz e bem-sucedida.

Nas muitas palestras e oficinas que promovo, costumo pedir aos participantes que levantem a mão se nunca tiverem cometido um erro. Até hoje, ninguém levantou. Acredito que ser regido pelo medo seja menos produtivo do que demonstrar compreensão e incentivar o aperfeiçoamento. Se você quer que os seus empregados ou os seus filhos melhorem, destaque o que fazem de bom, em vez de humilhá--los quando erram.

Determine o objetivo.

Descubra qual é a atitude necessária para alcançá-lo.

Aja com base nessa atitude.

PARTE 3

Como utilizo o pensamento saudável

Capítulo 9

PRATIQUE, PRATIQUE, PRATIQUE

Depois da diluição das ações da *Doctor Global,* tive que procurar outro emprego. Conforme já contei, voltei a atuar como médico e a fazer o que mais gostava: tornar as pessoas saudáveis. Descobri, porém, que, assim como prescrevia medicamentos, eu receitava o pensamento saudável. E as pessoas melhoravam. Eu mesmo parei de tomar os antidepressivos receitados pelo psiquiatra. Recuperei a confiança e voltei a aproveitar a vida.

Recentemente, eu estava ocupado com um atendimento, quando a porta do consultório se abriu e uma enfermeira entrou. Foi um acontecimento raro, já que não gosto de ser interrompido. Segundo ela, um representante do conselho de medicina, o *Medical Council of New Zealand,* estava ao telefone. Aquele era um acontecimento ainda mais raro, pois em quinze anos de profissão, eu jamais havia recebido um telefonema daquele órgão. O conselho tem o poder de cassar minha licença para a prática da medicina. (Acho que chamam de prática porque estamos sempre aprendendo.)

Levantei-me imediatamente da cadeira, pedi desculpas ao cliente e rumei para a porta. Senti a boca seca, um nó na garganta, o pulso acelerado e dor de barriga. Em outras palavras: eu estava ansioso... Muito ansioso... Por quê? O que estava pensando? Que alguém podia ter morrido ou apresentado uma queixa contra mim; que, de um modo ou de outro, eu estava em apuros. Rapidamente, fiz uma pergunta-chave:

O pensamento era verdadeiro?

Não! Podia não ser.

Então, mudei para "Talvez estejam telefonando para dizer que ganhei o prêmio de Médico do Ano!".

Fiquei animadíssimo. Mal podia esperar para chegar até o telefone. Com a mudança do pensamento, minhas emoções tinham se alterado automaticamente. A voz do outro lado da linha disse que precisava do número do meu celular, para uma atualização na base de dados. Em vez de sentir alívio por não haver problema algum, fiquei desapontado por não ter conquistado o prêmio.

Na verdade, nem sei se tal prêmio existe. Eu tinha simplesmente mudado de pensamento para mudar a emoção. Imagine se eu não conseguisse chegar ao telefone. Era o fim de tarde de uma sexta-feira. Eu passaria o fim de semana inteiro a me preocupar à toa, ansioso por causa de um pensamento que nem sabia se era verdadeiro.

Por experiência própria, sei que as emoções doentias, em sua maior parte, não são verdadeiras, e que quanto mais você pratica a mudança de pensamento, mais hábil fica. Tal como no caso das grandes ondas distantes, frequentemente ficamos ansiosos por causa de eventos que podem jamais acontecer. E a ansiedade aumenta a possibilidade de que aconteçam. Tivesse eu passado o resto da tarde preocupado com o telefonema do conselho, talvez me enganasse em um diagnóstico importante.

No decorrer dos anos, encontrei muitos pacientes com problemas causados pela ansiedade. Um deles foi John, preocupado com uma promoção que esperava receber em alguns meses. Ao ser promovido, ele conseguiria o dinheiro para comprar a casa que tinha prometido à mulher. A ansiedade aumentou a produção de ácidos, o que lhe causou uma úlcera no estômago. A úlcera provocou um buraco que perfurou a parede do músculo, deixando o ácido vazar para o abdome. Daí, surgiu uma peritonite, condição grave que obrigou a uma cirurgia de emergência no meio da noite.

Como resultado, John precisou ficar um bom tempo afastado do trabalho, o que o fez perder a promoção. Arrasado, ele, no entanto, descobriu que a mulher não ficou aborrecida, pois não fazia a menor questão de uma casa maior. Afinal, os filhos estavam crescidos e logo iriam morar sozinhos. E seria um pesadelo cuidar de uma casa grande!

A falta de comunicação de John criou uma dose de ansiedade desnecessária, e sua ideia nem era verdadeira. O que ele mais temia aconteceu, não por incapacidade, mas por causa de suas emoções doentias e de sua falta de habilidade no trato com elas.

A situação, por sua vez, criou ansiedade em mim. Era a primeira vez que eu suturava sozinho uma úlcera gástrica perfurada. Na época, eu praticava para ser cirurgião. Mudei meu pensamento para: "Se você não conseguir encontrar e fechar o buraco, pode ligar para o cirurgião supervisor. Enquanto isso, não toque em nenhum órgão importante com o bisturi!" John e eu saímos da sala de cirurgia intactos. Talvez o pensamento saudável tenha contribuído para o sucesso do procedimento.

Como regra geral, emoções doentias costumam ser causadas por pensamentos doentios. Pela experiência que tive com pacientes e comigo, a maior parte desses pensamentos não é verdadeira. A interpretação equivocada cria uma falsa realidade que causa emoções doentias. Estas, por sua vez, causam comportamentos inúteis ou destrutivos, que tendem a afastar a pessoa de seu objetivo.

Agora, por favor, não conclua, ao ler este livro, que aconselho a interromper qualquer medicamento sem consultar o médico ou terapeuta. Isso pode ser perigoso. São muitos os fatores que influenciam a depressão. O pensamento saudável é um deles.

Recentemente, uma cliente muito idosa reclamou da quantidade de comprimidos que tinha que tomar. Eis o que lhe disse:

– Por que está infeliz? Deveria ser grata por estes comprimidos existirem. Senão, você provavelmente estaria morta ou hospitalizada, em vez de morar na sua casa e cuidar do jardim. Os seus pais morreram cedo, de problemas cardíacos. O seu colesterol é alto, a sua pressão também. Sem medicamentos, você provavelmente estaria em uma situação difícil. Você deveria acordar todo dia e agradecer a Deus pelos comprimidos. Ao ficar estressada, reclamar dos medicamentos ou deixar de tomar um remédio, você contribui para a elevação da sua pressão sanguínea, o que me obriga a aumentar as doses. E existe ainda o risco de um acidente vascular-cerebral. Por que você acha que, hoje em dia, as pessoas vivem mais? Claro que alimentação, vacinas, tratamento da água e redução do fumo exercem um papel importante. Mas o medicamento é responsável por boa parte!

A mulher pareceu um tanto surpresa, mas viu que minhas palavras faziam sentido. Ao mudar de pensamento e de atitude em relação aos remédios, ela aumentavas as probabilidades de se manter saudável. A redução do estresse está ligada à mudança do pensamento e da atitude.

O estresse nasce, vive e morre no espaço entre as nossas orelhas. Aprenda a obter satisfação do momento presente, e aproveite a emoção de não saber o que vai acontecer em seguida. É isso que torna a vida interessante.

Você não tem que estar sempre no controle! Na próxima vez que alguém lhe sugerir uma atividade, experimente, embora ache que não vai gostar. Não descartar a ideia antes de tentar costuma ser um bom ponto de vista (desde que com segurança!). Fazer uma coisa sugerida por outro é menos estressante – e sempre se pode gostar e aprender. As recompensas são especialmente importantes, no caso de filhos e cônjuges, e vêm em forma de respeito e prazer!

Descobri que o ser humano frequentemente escolhe o pensamento que o faz sentir-se mal acerca da situação. Nós imaginamos o pior. Eu tinha muitos pensamentos à escolha, quando incomodado por perguntas inconvenientes. Podia me perturbar, levar os comentários a mal e me retrair, o que estimularia pensamentos doentios. No entanto, prefiro "levar na brincadeira".

Veja este exemplo de pensamento doentio que influencia o comportamento:

Carol, a mulher de James, foi a uma festa com amigos e demorou a chegar em casa. Ele pensou que ela tivesse um caso e decidiu que o "outro" era provavelmente seu amigo Karl. Com isso, ficou enciumado, ressentido, furioso. Teve uma noite horrível, mas não quis ligar para o celular dela.

Quando Carol chegou em casa, James fez uma cena, acusando-a de traição. As coisas começaram a se deteriorar, e Carol foi se retraindo. Ressentida com o comportamento agressivo do marido, ela passou a ficar em casa cada vez menos.

Na noite da festa, James podia escolher entre diversos pensamentos para explicar a chegada de Carol em casa às duas da manhã. Cada um deles teria um efeito sobre seu comportamento. Algumas pessoas parecem preferir os pensamentos que causarão ações destrutivas, acabando por afastá-las de seu objetivo.

Os pensamentos de James poderiam ser, por exemplo:

- Ela tem um caso e não me ama. Estou com raiva.
- Ela tem um caso, mas ainda me ama. Está cometendo um erro.
- Ela tem um caso e não me ama. Vou ficar melhor sem ela.
- Ela tem um caso. Então, eu também posso ter.
- Ela bebeu demais e está esperando ficar sóbria para dirigir.
- O carro enguiçou.
- Karl está preocupado. Como bom amigo que é, foi ajudá-la.
- Ela encontrou a irmã, e as duas estão se divertindo.
- Ela está sem relógio.
- Ela sofreu um acidente.
- Ela está se divertindo. Merece. Vai voltar para casa quando tiver vontade.

Cada pensamento cria uma emoção diferente. Cria também atitude e comportamento possíveis.

No caso de Carol, ela chegou tarde porque estava se divertindo. Se James pensasse assim, Carol provavelmente pensaria ter um marido maravilhoso, que a apoiava. Ela não teria um caso. Com a reação negativa de James, no entanto, ela sentiu ter um marido controlador e ciumento, de quem passou a se distanciar.

Obviamente, se aquelas festas até altas horas fossem uma ocorrência comum, James talvez precisasse de uma estratégia diferente.

Viva o momento e aprenda a seguir o fluxo.

Aprenda a se adaptar a situações novas e aproveite os diferentes resultados.

Com a prática do pensamento saudável, comecei a buscar novas aventuras. Fui eleito para o *District Health Board,* o conselho distrital de saúde, que movimenta 160 milhões de dólares anuais. Além disso, fui escolhido para presidir o conselho da escola onde meus filhos estudam, que movimenta grande quantidade de crianças felizes. Toquei violão no grupo de cultura e atuei como técnico da equipe de rúgbi dos meus filhos. Organizei uma longa lista de coisas boas que tenho na vida. Comecei a gostar do inesperado.

A vida ficou mais interessante depois que passei a apreciar o momento e o prazer de não saber o que virá em seguida. Ensinei as pessoas a fazer listas de coisas boas, e não de coisas ruins. Assim, elaborei os objetivos e as ideias centrais de *The Attitude Doctor.*

Foi então que comecei a pensar de maneira saudável e a enxergar o aspecto positivo do meu divórcio. Percebi que, às vezes, é bom não conseguir o que se quer . É só prestar atenção.

Quando casado, eu costumava voltar do trabalho e brincar com as crianças. Depois de três anos sozinho, eu interajo com elas. Tenho sido mãe, pai, amigo, professor e muito mais. Conheço meus filhos e eles me conhecem.

Não quero com isso sugerir que todo mundo se divorcie. A vida de divorciado é difícil e não é a melhor maneira de criar os filhos.

Mas, se tiver que ser assim, existem muitas vantagens. Em vez de tentar mudar os fatos, precisei mudar de atitude e aproveitar a situação. Meus filhos se saem bem no esporte e na escola, e têm muitos amigos. Somos uma bela família.

Vou dar um exemplo de como o pensamento saudável me ajudou a evitar uma situação difícil em casa e acabou ajudando no relacionamento com um dos meus filhos. Até hoje, é minha história favorita de pensamento saudável, embora cada dia me traga uma história nova.

Thomas, meu filho de 6 anos, andava pelo quarto, e nada de ir para a cama. Era tarde da noite, e ele ainda tinha que ler para mim um trecho do livro que usava na escola. Depois de atender 40 pacientes, voltar, preparar o jantar e dar um jeito na casa, eu estava cansado. Finalmente, depois de muitos pedidos, ele foi para a cama. Abri o livro na página marcada, e ele, em voz quase inaudível, começou a ler: "O homem disse que era hora de..."

Por alguma razão, perdi a paciência. Fechei o livro e saí do quarto. Ele ainda gritou:

– Ei, pai! Está maluco?!

Não gostei de ouvir aquilo e estava a ponto de reagir, quando percebi que me sentia zangado de verdade. Hora de usar a álgebra emocional.

Ao reconhecer a minha raiva, perguntei:

O que provocou isso?

Foi o fato de Thomas ler em voz muito baixa a primeira linha do texto. Então, fiz outra pergunta: Qual foi o pensamento que me provocou raiva?

Achei que ele estivesse debochando de mim, deixando de demonstrar o respeito que eu merecia como pai cansado e professor.

Mas seria aquele um pensamento saudável? Seria verdadeiro? Ele estaria engasgado? Sentiria falta de ar? Teria uma infecção de garganta? Ou um tumor no cérebro? Eu simplesmente acreditei estar diante de um ato de rebeldia. Mas o garoto podia estar dando o último suspiro. E eu, todo nervosinho.

Então, fiz algumas perguntas importantes:

O meu modo de agir contribuía para o cumprimento da minha meta, que era ensinar Thomas a ler?

A resposta era "não"!

Criou-se uma emoção doentia?

A resposta era "sim"!

Eu me senti rejeitado e fiquei com raiva.

Com a utilização da álgebra emocional, pude ver que o pensamento criado por mim não valia a pena.

Voltei ao quarto de Thomas. Ele continuava na mesma posição. Parecia assustado. Sou muito maior do que ele, e chamar o pai de "maluco" era uma ofensa prevista no sistema penal doméstico. Quando me desculpei, ele ficou visivelmente aliviado.

– Thomas, sinto muito. Tive um dia difícil e achei que você não estava colaborando.

– Tudo bem – ele disse. – Pais também são humanos.

Satisfeito com a volta da paz, sentei-me perto dele e peguei o livro. Olhei para o título, em que não havia reparado antes. Era *The Whisper Boy* (*O Menino Que Sussurrava*, em tradução livre). Além do mais, a primeira linha estava em itálico. A interpretação do meu filho tinha sido perfeita.

Fiquei sem graça, mas confortado. A situação podia ter tomado um rumo desagradável se, em vez de fazer cálculos matemáticos, eu tivesse uma reação mais forte.

Poderíamos facilmente chegar a um confronto sem vencedores. Não faríamos a leitura, e eu perderia algum respeito de Thomas.

A ideia que tive determinou a minha realidade. Mas eu havia tirado a conclusão errada. O pensamento doentio me deixou em uma posição em que as emoções levariam ao estresse e a uma atitude equivocada.

Pelo modo como agi, reconheci minha raiva, mudei meus pensamentos e minha percepção. Assim, encontrei a verdade. Ao pedir desculpas, conquistei respeito e possibilitei uma ótima leitura. E tudo terminou com um abraço entre um pai e um filho felizes. Alcancei meu objetivo.

A álgebra emocional funciona de duas maneiras:

1. Faz você parar ao sentir uma emoção doentia, distanciando-se do sentimento despertado pela situação.

2. O nível analítico alcançado contribui para acalmar o pulso e a respiração, e facilita o foco na solução do problema.
Se você identificar a emoção e
subtrair o motivo, vai chegar ao pensamento.

A razão do meu problema com Thomas foi a minha impressão de que ele estava sendo desrespeitoso, ao ler sussurrando a primeira linha do texto. Quando esmiucei o pensamento, para analisá-lo, percebi como era doentio.

A vida é como um jogo de xadrez. Quanto mais você observa, mais opções e oportunidades se abrem. A movimentação de uma peça aponta uma grande quantidade de outros movimentos. Estar vivo e feliz é o resultado da capacidade de se adaptar à mudança e de tirar o máximo proveito do inesperado. Quanto mais você pratica uma atividade, mais perito fica e mais prazer sente.

O retorno vem na mesma medida do risco. Esta é uma estratégia de investimento relaxante. Experimente fazer algo que não queria, e pode acabar gostando.

Isso vale para os filhos, para os relacionamentos e para quase todas as situações que a vida nos apresenta. Certa vez, por exemplo, eu estava com os meus filhos na cidade, e faltavam quatro horas para o jogo de basquete a que íamos assistir. Acrescentando-se a isso o fato de ser uma tarde de chuva e frio, digamos que eu tinha um problema. Comecei a ficar estressado, porque todas as possibilidades em que minha memória e minha mente analítica conseguiam pensar não funcionavam. Nenhum lugar a que nos dirigimos serviu. A biblioteca estava fechada, a parede de escalada e o boliche estavam cheios, tínhamos visto todos os filmes em cartaz.

Percebendo minha frustração, eles sugeriram:

– Pai, por que não vamos ao Pukekura, aquele parque tão bonito no centro da cidade?

– Não! – respondi, porque é assim que os pais respondem quando não estão no modo pensamento saudável.

– Por que não? – insistiram os pequenos ajudantes.

– Porque está chovendo – foi a resposta da praticidade paterna.

– Mas, pai, temos capas de chuva – disseram os pequenos ajudantes mais práticos ainda.

Derrotado, concordei:

– Tudo bem, vamos ao parque.

FREQUENTEMENTE PENSO NA VIDA COMO UM RIO ONDE CORRE O TEMPO.

Foi como se, de uma hora para outra, me tirassem um peso dos ombros. Eu estava relaxado, em um novo território. Na verdade, eu ia fazer alguma coisa sugerida pelos meus filhos, e não o que imaginei que eles gostassem.

Frequentemente penso na vida como um rio onde corre o tempo. Sempre achei os rios e essa metáfora muito relaxantes. Assim, pulei no rio da vida e embarquei no momento, para ver aonde seria levado.

Foi só saltarmos do carro, e o sol saiu. Nem precisamos das capas de chuva. Como os outros pais foram "práticos", tivemos o parque todo para nós. Eu me lembrei dos tempos de guarda florestal, e aproveitei para mostrar as árvores.

Meus filhos adoraram a excursão do tipo *Discovery Channel,* aprendendo sobre a fauna e a flora. Foi tão bom, que nos atrasamos para o jogo de basquete. E eles disseram que nunca se divertiram tanto!

Foi divertido, grátis, fizemos exercício e despertamos lembranças antigas e importantes. Desde então, adotei a atitude de às vezes fazer o que meus filhos querem. Em quase todas as situações, nos divertimos muito. Mas o segredo está em aceitar as ideias que parecem que vão funcionar e as que não parecem. Eu me surpreendo constantemente com o prazer que descubro ao fazer coisas que nem imaginava. Em vez de se irritar porque não querem fazer o que você sugeriu, ou porque a atividade não está disponível, experimente outra opção.

Em várias outras situações usamos a estratégia do dia chuvoso, e deu certo. Com frequência, vamos aos lugares quando o tempo está meio incerto. Um recente passeio a um jardim zoológico em outra cidade teve resultados surpreendentes. Mais uma vez, éramos os únicos em um lugar normalmente muito movimentado.

Impressionados com nosso interesse, os funcionários nos levaram para uma volta no veículo onde são transportados os alimentos. Com isso, visitamos locais a que a maioria dos visitantes não tem acesso: jogamos pedaços de carne para o leão, alimentamos a girafa e coçamos o chifre do rinoceronte!

No fim de semana passado, saí com as crianças para um passeio de bicicleta. Minha filha de oito anos perguntou:

– Aonde vamos, pai?

– Vamos aonde a estrada nos levar – respondi.

Seus olhinhos brilharam, e ela disse:

– Eu sabia que a sua resposta seria essa.

Foi muito bom.

Quando se é divorciado, a pior parte é ter que ficar às vezes separado dos filhos.

O pensamento saudável, porém, ensinou-me que a separação não precisa ser ruim. Raciocinei que, como vivo em uma região onde existe exploração de óleo e gás, muitos pais de família passam duas semanas na plataforma e duas semanas em casa. Tenho certeza de que seus filhos os amam tanto quanto os que vêem os pais todos os dias.

Meu pai, como engenheiro naval, passava longos períodos no mar, quando eu era criança. Os pais de alguns amigos meus eram pilotos, e também ficavam fora dias a fio.

Hoje, não vi meus filhos, mas estive ocupado escrevendo. Amanhã, vou à escola deles, para uma reunião com os pais e para ajudar nas aulas de matemática. O fato de ser técnico do time também me põe em contato frequente. Este ano, eu e minha filha atuamos em uma peça, *Charlie and the Chocolate Factory* (A Fantástica Fábrica de Chocolates), de Roald Dahl. Tivemos três meses de ensaios, e meu filho assistiu a quase todos.

Passamos momentos fantásticos, em uma experiência maravilhosa. Ninguém precisa se divorciar dos filhos. Existem muitas maneiras criativas de estar junto deles e de manter um relacionamento bem melhor do que em uma família desajustada.

O segredo é se relacionar bem com o ex-parceiro e em hipótese alguma fazer críticas a ele diante dos filhos. Imagine-se criança novamente e pense no que sentiria, se visse pai e mãe criticando um ao outro. Este é um procedimento destrutivo e, a longo prazo, contraproducente, no que se refere ao objetivo de manter um relacionamento próximo com as crianças.

Conheço muita gente que há um longo tempo deixou de ser criança e, ainda assim, fica nervosa quando os pais discutem. Lembre-se de que, se o fim do casamento é confuso para você, é muito mais confuso para os filhos.

Culpa e ciúme são duas emoções doentias que cercam o divórcio e a separação, e é muito fácil negociar o futuro com base em ideias distorcidas por elas.

Atualmente, vejo muito mais os meus filhos do que durante o casamento. Sei que isto pode parecer clichê, mas hoje dedico a eles tempo de qualidade. Quando criei a *Doctor Global,* foi para poder trabalhar em casa e ver mais as crianças. Com a *Attitude Doctor*, é a mesma coisa. Às vezes, trabalho à noite, promovendo seminários, mas tenho dias livres para acompanhá-los à escola.

Atuo em tempo integral como *coach* e palestrante motivacional. Vivo o meu sonho. Daqui a dois dias, tenho mais uma palestra, e meus filhos vão assistir. Eles se envolveram na elaboração deste livro e na busca de histórias para eu contar.

Decidi revelar a minha depressão e escrever este livro. Quem me conhece comenta a minha sorte e o meu sucesso. Ninguém faz ideia de como estive mal. Se eu contar, as pessoas vão perder o respeito por mim? Vão me marginalizar?

Quando se sofre de depressão, é preciso ter muita coragem para dizer isso ao médico. E é preciso mais coragem ainda para admitir publicamente. No entanto, cerca de 10% das pessoas experimentam pelo menos um episódio de depressão na vida, com mais de duas semanas de apresentação dos sintomas já descritos.

Tenho certeza de que o pensamento saudável pode ajudar algumas dessas pessoas. Eu não mais me envergonho do que senti. O que não mata fortalece. Meus clientes se sentem mais confortáveis quando me identifico com seus problemas. Não sei o que a comunidade médica acha disso, mas tenho certeza de que não se importaria se eu dissesse estar gripado. Então, porque deveria se importar com o fato de eu comentar sobre minha depressão?

Cheguei a pensar que, no caso das palestras patrocinadas, pudesse haver um conflito de interesses, caso os patrocinadores descobrissem que estive deprimido. Não, isso seria um pensamento doentio. Afinal, não é nenhuma surpresa uma pessoa ficar deprimida depois de perder o casamento e a empresa quase ao mesmo tempo, quando ainda não dominava os recursos do pensamento saudável.

Quando decidi mais uma vez deixar de clinicar para iniciar um novo negócio – a *www.theattitudedoctor.com* – senti um certo estresse, pois corria um risco. Deixei um emprego seguro e bem remunerado em uma cidade à beira do mar, perto de onde morava. O pensamento que me ocorreu foi: "E se ninguém quiser me ouvir falar? E se nenhuma empresa quiser contratar meus serviços de treinamento ou escutar minhas histórias?"

Então, pensei: "E daí, se ninguém aparecer? Sempre posso voltar a atuar como médico. Posso voltar a morar com a minha mãe. Posso vender tudo, comprar um iate e sair pelo mundo." Como se viu, fui muito solicitado como palestrante. E sou cada vez mais.

O estresse frequentemente limita nossa capacidade de assumir riscos e crescer. Quando comecei a escrever este livro, pensei: "E se ninguém ler? E se a crítica não gostar? E se alguém escrever antes sobre o tema? E se o livro for considerado sem sentido, ou irrelevante?"

Não importa. Decidi que, se uma pessoa lesse, e tivesse a vida modificada por ele, valeria a pena. Se eu me deixasse limitar pelo medo do fracasso, jamais começaria a escrever. Quanto mais eu escrevia, mais as pessoas diziam gostar. E mais confiante eu ficava.

"E daí se ninguém ler?", pensei. "Acredito que o pensamento saudável é a coisa mais poderosa que me aconteceu. Já fiz muita loucura e assumi muitos riscos. Foi uma boa experiência que quero compartilhar."

Às vezes, é bom não conseguir o que se deseja.

Siga o fluxo, aproveite o momento.

Capítulo 10

STAND-UP COMEDY - O HUMOR DE CARA LIMPA

Hora de novo objetivo. Eu vinha pensando em me tornar um palestrante motivacional, focado na ideia de que a atitude correta tudo pode. Resolvi provar a mim mesmo que, com o recém-descoberto poder do pensamento saudável, podia passar da tristeza ao papel de comediante. Em seis meses.

Isso fazia parte do meu plano para me acostumar com uma plateia, usando material próprio para fazer rir. Bem, valia a pena tentar. Foi um objetivo ambicioso: em seis meses, passar da falta de vontade de sair de casa para o compromisso de ficar de pé, contando piadas, diante de 850 pessoas. Cumpri tal objetivo graças ao pensamento saudável, aos comportamentos de sucesso e à atitude certa.

Eu já havia feito muitos seminários, na Nova Zelândia e no exterior. As pessoas, em sua maioria, riam durante minhas palestras. Choviam convites para apresentações em jantares.

Grandes plateias não me intimidavam, o que era uma vantagem. Na verdade, anos antes eu havia comparecido a um jantar da America's Cup, depois do qual houve um painel com quatro bilionários: Jim Clark, fundador de *Silicon Graphics* e *Healtheon;* Tom Perkins, da *Kleiner Perkins,* a companhia do capital de risco; John Sculley, da *Apple Computers;* e Bill Koch, legenda dos negócios e do iatismo. O painel foi excelente, mas eu me levantei e, diante da plateia, fiz uma pergunta muito direta que atraiu atenção e garantiu o capital de risco para a *Doctor Global.*

Assim, achei que valia a pena tentar um show de humor ao vivo. Pensando nisso, fui a um bar onde se apresentam comediantes, o mais conhecido da Nova Zelândia – *The Classic,* na *Queen Street,* em Auckland. Scott, o proprietário, cedeu-me um espaço na segunda-feira à noite. No dia marcado, fui com um grupo de amigos – todos eles, com certeza, loucos para me ver fazer papel de bobo, na minha primeira apresentação.

Devo admitir que quase desisti, tal a dificuldade de conseguir alguém que ficasse com as crianças. Mas eu me lembrei do meu objetivo. Afinal, tinha ou não um compromisso?

O mestre de cerimônias da noite foi Mike King, o melhor comediante da Nova Zelândia. Depois de um começo difícil, em que lembrei que ele conhecia minha tia, e o ouvi dizer que ela não era de suas preferidas (em linguagem divertida, claro), nós nos entendemos. Logo chegou a minha vez de subir ao palco.

Eu me senti no fogo. Apostei tudo na minha performance. Aquela era uma excelente oportunidade, na companhia de comediantes bem-sucedidos. Enchi-me de confiança, cheguei até a improvisar, e ouvi as gargalhadas da minha primeira plateia, o que é muito bom, eu garanto.

Fui notado. O padrão do meu show fez com que fosse convidado a voltar para duas outras apresentações em janeiro, durante as férias escolares. Depois daquela noite, eu me apresentei algumas vezes, mas é melhor esquecer; essas fazem parte da curva de aprendizagem. A certa altura, achei que estava piorando, mas logo mudei meu pensamento: as plateias é que estavam ficando mais difíceis. Então, me esforcei mais, e as coisas se acertaram.

Cerca de um mês mais tarde, Mike King foi a New Plymouth, minha cidade natal, como parte de uma turnê nacional. Eram esperadas de 800 a mil pessoas no *Showplace Theatre,* a casa de espetáculos local. O promoter entrou em contato com o jornal da cidade para saber da possibilidade de divulgar o evento. A repórter, que sabia da minha experiência ao lado de Mike King, perguntou se eu também me apresentaria. Fui então convidado a abrir o show e a dar uma entrevista. Tudo isso se passou em 48 horas.

O que de pior poderia acontecer? Ninguém rir.

Respondi que sim, como sempre faço, para somente depois pensar nas consequências. Decidi que a oportunidade era boa demais para ser desperdiçada. A matéria foi publicada no jornal. Avisei alguns amigos, que compraram ingresso, e, em um dia ou dois, preparei o texto.

Quando a sexta-feira, o grande dia, amanheceu, eu estava pronto, mas nervoso. Não via a hora de encontrar Mike e mostrar a ele minhas piadas. Queria saber sua opinião.

Ao ligar para o agente da turnê, que também se chamava Mike, ouvi uma resposta bem diferente da que esperava.

– Doutor quem? – ele perguntou.

– Dr. Tom, que vai abrir o show do Mike esta noite! – respondi cheio de orgulho.

– Ninguém me falou nada – ele continuou asperamente. – Quem disse isso?

– Foi Paul, o promoter – exclamei.

– Me telefone às 16 horas.

Clique. Ele desligou.

Às 16 horas, pontualmente, telefonei.

– Apareça às 18 horas – foi a resposta.

E clique.

Ele não estava satisfeito, obviamente.

Assim fiz. Às 18 horas, estava diante de Mike e do agente da turnê, uma figura imponente para os não iniciados. Mike parecia bastante aborrecido.

– Isso não deveria ter acontecido! – ele bradou. – Estamos fazendo uma apresentação profissional aqui. Tenho um roteiro a seguir. Paul nunca poderia fazer isso!

Claro que Mike King estava zangado de verdade. As coisas não andavam boas.

– Oh! – eu disse. – Sinto muito. Só queria aumentar a venda de ingressos.

Se você preferir, posso não fazer.

– Agora não dá mais. Saiu no jornal. Você tem três minutos!

Bem, se eu estava nervoso antes, passei a desapontado e apavorado. No entanto, em vez de ficar com raiva, ressentido ou de sentir-me rejeitado, pensei: "Uau, ele deve ter problemas para estar tão furioso. Ah, três minutos valem mais do que nada. Não posso ir tão mal em três minutos."

Subir ao palco diante de Mike King e do agente da turnê fulos da vida, e de 850 conhecidos, foi mais ou menos como caminhar rumo à cadeira elétrica.

Mais tarde, eu soube que todo o sistema público de sonorização tinha apresentado defeito, e como no mesmo fim de semana houve na cidade um festival de música e dança (o WOMAD – *World Of Music And Dance*), foi muito difícil encontrar um novo sistema de som – mais difícil do que achar, na costa de Taranaki, o tão apreciado molusco avalone (pauá) de tamanho permitido para o consumo.

O que quero dizer é: administrei meu conflito interno e compreendi que outro conflito devia estar acontecendo, para causar aquela situação. O desapontamento inicial foi substituído pelo pragmatismo. Assim, não fiquei ressentido nem me senti rejeitado. Já era bastante difícil controlar a ansiedade. Eu não precisava de outras três emoções negativas! Adotei a atitude correta para a situação, adaptei-me às novas circunstâncias e aprendi um bocado com aquele mestre da comédia.

No final das contas, fiquei amigo de Mike King, e acabo de voltar de Fiji, onde apresentamos juntos o primeiro espetáculo de *stand-up comedy* daquele local.

Todo mundo é comediante.

Rir é o melhor remédio.

Capítulo 11

QUEM PRECISA DE INIMIGOS?

Muita gente envolvida com o mundo dos negócios e com a saúde diz que os sentimentos de raiva e culpa são emoções naturais no ser humano. Essas pessoas consideram tais sentimentos impossíveis de serem evitados, e perguntam por que deveriam fazê-lo. Bem, a morte também é natural, e alguns investem muito tempo e dinheiro tentando evitá-la. Por outro lado, outros investem tempo e dinheiro tentando morrer cedo, mas isso é outra história, de que vamos tratar em outro capítulo.

Poderíamos passar um bom tempo a discutir se emoções como raiva, inveja ou tristeza são boas para nós; se, de algum modo, servem de proteção. Não consigo pensar em um só exemplo em que se zangar – perder a calma – traga benefícios ou resultados positivos a longo prazo para a saúde.

Veja a raiva no trânsito, por exemplo. Digamos que você esteja em cima da hora para um encontro. Em meio ao tráfego intenso, um motorista cruza a sua frente, fazendo você pegar o sinal vermelho. Você pensa que ele fez de propósito, que não respeita as leis e deve receber uma lição. Assim, avança o sinal, consegue ultrapassá-lo e salta do carro para dizer-lhe umas verdades. Os gritos fazem a sua pressão subir. Você passa mal e, em vez de ir ao encontro marcado, vai parar no hospital. Para piorar as coisas, recebe uma multa por avanço de sinal e perde o emprego, por causa dos problemas de saúde que passa a ter.

Outra possibilidade é você alcançar o sujeito, gritar com ele e sair bufando de raiva. Acontece que ele fez a ultrapassagem porque estava com pressa. Tinha um encontro marcado. O mesmo que você. Ele conduziria a entrevista para decidir pela sua contratação – ou não – para o emprego ao qual se candidatou. Que mau começo! O pensamento saudável poderia ter evitado as duas situações.

Se você tivesse mudado o pensamento, de "Ele fez de propósito" para "Este sujeito não é daqui. Deve estar perdido" ou "Está com pressa de chegar ao hospital. A mulher dele vai ter um filho", talvez sentisse certa simpatia pelo motorista. Podia fazer-lhe um aceno e aproveitar os minutos em que esperava o sinal abrir, para ajeitar-se e pensar na entrevista. Assim, chegaria ao encontro com toda a calma e disposição, para então descobrir que aquele a quem você acenou era o entrevistador. Ele, percebendo como você age bem sob pressão, lhe daria o emprego.

O conflito pode ser externo e interno. Minha definição de conflito é:

> Lacuna entre nossa expectativa de comportamento e nosso real desempenho.

Em outras palavras, a diferença entre o que desejamos e o que conseguimos.

Quando se tem muito conflito interno, mais cedo ou mais tarde, ele transborda, causando conflito externo, o que afeta o ambiente. Mais uma vez, se você não administrar bem os seus atos, será mais difícil viver em paz e desenvolver relacionamentos harmoniosos.

Recentemente, eu esperava o sinal abrir, ao volante do meu carro automático, em uma cidade com a qual não estou familiarizado. Era hora do rush – hora da correria – mas isso só pode ser um contra-senso. Quem consegue correr, quando os para-choques ficam encostados uns nos outros? Talvez somente os pensamentos dos motoristas corram, imaginando o caos em que estão metidos. Aproveitei para dar uma espiada no mapa e, sem querer, tirei o pé do freio. Como estava engrenado, o carro rodou alguns metros e bateu no da frente. De início, não entendi o que havia acontecido. Sem perceber que o meu carro tinha avançado, pensei que o outro tivesse recuado.

Imediatamente, um homem muito grande saltou e veio na minha direção como um tanque. Parecia muito zangado. Como uma metralhadora, disparou desaforos, dizendo que eu encostasse. Com calma, saí do carro, para verificar os estragos. É bom que se diga que meço 1,90 metro e peso 150 quilos. Durante os anos de estudo na universidade, fui encarregado da segurança de vários bares. Sei lutar boxe e fui bom de bola nos jogos de rúgbi. Aquele sujeito, porém, me fez parecer um pigmeu. Ele era grande, muito grande, e estava zangado, muito zangado.

O homem parecia espumar pela boca. Disse que eu havia arrancado seu para-choque, que o conserto seria muito caro e que ele estava fulo da vida (não exatamente com essas palavras). O carro dele parecia haver passado por várias guerras. Com certeza, tinha visto dias melhores.

Sentindo-me um comediante, pensei que um pouco de humor melhorasse a situação. Errado. Gentilmente, eu lhe disse que seu carro só não se desmanchava por estar unido pelos arranhões.

Hora de me recolher. A raiva do homem aumentou, e ele explodiu.

– É isso aí! Vou chamar a polícia!

E, dizendo isso, entrou na loja mais próxima para telefonar.

Achei que não seria necessário e fui atrás dele. Provavelmente, ele tivera um mau dia. E podia ficar pior.

Se eu tivesse pensado "Como ele ousa me tratar assim?", e respondido à altura, provavelmente criaria mais conflito. Talvez chegássemos à agressão física, e eu precisaria de uma ambulância. O médico não consegue curar a si mesmo quando está ferido ou inconsciente.

Em vez de raiva, comecei a sentir pena do sujeito, e não somente por medo de sair machucado. Quando afastamos o desejo natural de reagir e controlamos a emoção interna, fica mais fácil analisar a raiva do outro. Para ter uma reação tão exagerada, era quase certo que ele estivesse atravessando sérias dificuldades.

O homem precisava de simpatia, de calma e de uma solução para seu problema. E eu não precisava perder tempo com papelada. Assim, informei a ele meu nome, disse qual era a seguradora do carro e me comprometi a pagar o prejuízo. E mais: pedi desculpas pelo incômodo, já que não tivera a intenção de estragar-lhe o dia. Afinal, eu vinha de outra cidade e consultava o mapa quando deixei o pé escorregar. Mais uma vez me desculpei e assegurei que os danos seriam compensados. Por fim, sugeri que ele devia estar realmente estressado para agir daquele modo, e eu não queria piorar as coisas.

Sua reação foi uma surpresa. O sujeito quase chorou, e começou a contar o dia difícil que tivera. Além do mais, havia sofrido uma batida por trás, anos antes, e desde então sofria de dores crônicas na cabeça e no pescoço. Ele acabou me pedindo desculpas pela atitude destemperada. Trocamos números de telefones, e ele realmente me ligou daí a alguns dias, para dizer que estava mais calmo e não aceitaria que eu pagasse o conserto do para-choque.

Assim, comecei a aprender que, mesmo em situações carregadas de emoção, é possível mudar o desfecho, com a utilização da álgebra emocional.

Quando você compreende e administra os seus conflitos internos, **consegue administrar melhor os conflitos externos.**

Capítulo 12

ÀS VEZES, É BOM NÃO CONSEGUIR O QUE SE QUER

O que quer que tenha acontecido no passado, existe apenas na sua memória. E o que pode acontecer no futuro existe apenas na sua imaginação. De real, só existe o agora – você estar lendo este livro.

Conforme vimos na segunda parte, temos muitas escolhas a fazer na vida. Lembre-se: cada situação gera sete pensamentos diferentes com sete ações diferentes; cada uma pode criar outros sete pensamentos e ações. Se você enfrentar dez situações diversas em um dia, terá 282 milhões de opções.

Este livro trata de como fazer a escolha certa e de obter o máximo da situação, seja qual for a escolha feita. Se você optar pelo caminho errado, ainda pode aproveitá-lo enquanto tenta melhorar ou mudar.

Há pouco tempo conversei com uma cliente que organiza o trabalho em blocos de seis minutos, para maior eficiência. Depois de um questionamento mais profundo, cheguei à conclusão de que ela passava um minuto estressada com o que fizera no bloco anterior, e outros dois minutos estressada com o que tinha a fazer. Isto representava uma redução de 50% na produtividade e um desperdício de tempo.

Não se pode mudar o passado. Então, por que a preocupação? O futuro guarda tantas variáveis e resultados desconhecidos, que talvez você se estresse por algo que nunca venha a acontecer. Quando uma porta se fecha, mil outras se abrem. É isso que torna a vida tão excitante.

Aqueles que viajam com frequência sabem que não adianta se estressar quando as coisas não saem do seu jeito; o importante é aproveitar a viagem.

Eu me lembro de um dos momentos mais relaxantes que tive na vida, durante uma viagem. Eu tentava ir de carona pela costa, de Sydney a Melbourne. Estava há horas em uma interseção de estradas, e nada. Os carros iam quase todos na direção do interior; para as Montanhas Nevadas - *Snowy Mountains.* Verifiquei o mapa e vi que podia chegar a Melbourne por aquele caminho.

Atravessei a estrada e logo consegui a carona que tanto queria. Minha vida mudou. Conheci uma garota no dia seguinte, me apaixonei por ela e acabamos vivendo juntos no Canadá por alguns meses. O importante foi não me estressar pelo fato de a opção escolhida não dar certo. Aproveitei as horas em que fiquei parado para tirar belas fotos e relaxar. Assim, fui feliz.

O ESTRESSE SÓ SERVE PARA PIORAR AS COISAS. FAZER UMA CENA DEPOIS DE SER REJEITADO OU SOFRER UM DESAPONTAMENTO TAMBÉM NÃO AJUDA.

Você pode argumentar que eu não estava com pressa, preso em um congestionamento nem atrasado para um compromisso. Mas o mesmo princípio se aplica. De que adianta o estresse? Só serve para piorar as coisas. Fazer uma cena depois de ser rejeitado ou sofrer um desapontamento também não ajuda. A pressão sobe, e o calor do momento pode levar a decisões erradas. Estou certo de que o pensamento saudável vai baixar a sua pressão. Comigo foi assim.

Para relaxar, é preciso mudar o pensamento. A preocupação com o atraso não faz o tráfego fluir. É melhor ouvir música, apreciar a paisagem e relaxar. Aproveite o tempo e prepare-se mentalmente para o dia. Pense na sorte que tem. Caso se sinta uma pessoa sem sorte, imagine meios de não cair outra vez no mesmo congestionamento: mude o trajeto, saia de casa mais cedo, use transporte público, troque de emprego, vá viver no campo. Observe as nuvens. Comemore a vida. Você vai ter tempo de sobra, depois de morrer.

Recentemente, eu ia para uma clínica na zona rural, pela *Surf Highway 45,* atrás de um veículo de transporte de gado. Os respingos que caíam dele grudavam no meu carro. Eu tinha cerca de 20 quilômetros pela frente, e sabia que chegaria atrasado. Irritado por ver o carro salpicado de esterco de vaca, preparei-me para ultrapassar.

Antes, porém, pensei: "Por que arriscar uma ultrapassagem neste trecho da estrada?" Diminuir o peso do pé no acelerador seria uma estratégia melhor. Foi o que fiz. O caminhão se distanciou e deixou de sujar meu carro. Depois da curva, um caminhão de leite em alta velocidade vinha em sentido contrário. Se eu tivesse ultrapassado, talvez houvesse uma colisão e eu morresse. O sol saiu e iluminou o vulcão coberto de neve. Que vista!

Na curva seguinte, o caminhão de gado sinalizou e saiu da estrada, tomando o rumo de uma fazenda.

Existem situações em que reduzir a velocidade é mais produtivo do que acelerar. Parecemos viver de pé embaixo, em um único caminho. Isso não é interessante nem saudável. Às vezes, é bom não conseguir o que se quer.

Descrevo o estresse como a lacuna entre expectativa e resultado. Posso achar estressante quando espero e não consigo que uma pessoa aja de determinada maneira. Se quero vencer uma competição, e isso não acontece, talvez fique desapontado ou estressado. Se perco um avião e preciso esperar outro, talvez reclame, esbraveje, tenha um acesso de fúria, mas não vou trazer o avião de volta. Quem sabe não evito um acidente ou conquisto um cliente importante no voo seguinte?

O estresse nasce, vive e morre no espaço entre as nossas orelhas.

Capítulo 13

NOVOS PENSAMENTOS, NOVAS AVENTURAS

O empreendimento mais prazeroso e compensador que assumi foi minha transformação em *Attitude Doctor* – o Doutor Atitude. Depois que aprendi o pensamento saudável e a álgebra emocional, minhas emoções ficaram sob controle. Eu queria explorar a vida com prazer, e minha recém-adquirida habilidade no controle de pensamentos e emoções formavam uma boa base para um reinício. Decidi também que ensinaria o que havia aprendido.

Este capítulo trata, acima de tudo, de como sentir prazer e aproveitar o momento. Ensina a liberar a mente e o comportamento de emoções doentias, criando assim espaço para a alegria.

Se trocamos de roupa todos os dias, por que não mudar de atitude? Nossa abordagem interna à vida e às situações pode ser utilizada como o controle remoto de uma televisão. Quanto maior o número de canais, melhor o indivíduo. Fico surpreso com a quantidade de pessoas que persistem durante anos em atitudes que não funcionam. É muito mais fácil mudar a atitude do que alterar a situação.

Outro dos meus segredos de sucesso é a capacidade de ser impulsivo e agarrar a oportunidade. Esta é uma área-chave para a maioria dos empreendedores. As duas melhores ferramentas de que disponho são o telefone e a capacidade de dizer "sim". Há anos sou médico da equipe de rúgbi de Fiji, e viajei com o grupo pela Itália e França.

Eu tinha sido médico do time de rúgbi de Taranaki, durante o campeonato. Havíamos vencido o *Ranfurly Shield* fora de Auckland, em uma boa experiência. Então, um dia, telefonei para Fiji e conversei com Brad Johnstone, o técnico do time de rúgbi.

Depois de explicar quem eu era e deixar claro que possuía as habilidades e qualificações necessárias, perguntei se a equipe não precisava de um médico.

Ao ouvi-lo dizer que sim, continuei:

– Quando é o próximo jogo?

– Daqui a três dias, no sábado – ele respondeu.

– Contra quem?

– Japão.

– Estarei lá – eu disse, começando em seguida a arrumar minha maleta de médico.

Aquele telefonema simples deu início ao que viria a ser uma ligação próxima com Fiji, um país formado por belas ilhas tropicais, localizado no Oceano Pacífico, que vem se tornando meu segundo lar. São enormes as oportunidades que se abrem para um médico em um país religioso onde o rúgbi é quase uma religião, e embora eu não possa viver dessa ocupação, dinheiro não é tudo.

Em Fiji, conheci muita gente boa e me diverti bastante – como na ocasião em que o agente da equipe fijiana não pôde comparecer a um jantar, na noite anterior ao jogo-treino contra o time da França. Eu me ofereci e participei de um dos melhores jantares da minha vida, como representante oficial. A comida, o vinho e a companhia eram excelentes, e dei o melhor de mim: cantei canções fijianas e contei histórias sobre Fiji. Fiz muitos amigos e farei outros, tenho certeza.

A afinidade com ilhas parece fazer parte de mim. A uns 850 quilômetros da costa leste da Nova Zelândia, a 45 graus sul, a caminho da América do Sul, no Oceano Pacífico, na região dos *Roaring Forties,* ficam as Ilhas Chatham. Nas ilhas, vivem 650 pessoas, que contam com um pequeno hospital e convivem com lagostas, ostras, porcos selvagens, ondas e muitos peixes grandes, inclusive uma população de tubarões brancos. De vez em quando, uma dessas criaturas ataca os nativos que mergulham à cata de moluscos. As ilhas serviram de base para a pesca de baleias no Pacífico Sul, e lá funcionou uma colônia penal. É impressionante a história de guerras entre as tribos indígenas locais, os Maori e os Moriori, ancestrais dos meus filhos.

Sempre tive vontade de visitar aquelas ilhas, e trabalhar lá era um sonho. Mais uma vez, pensamentos doentios quase me impediram: não julguei que tivesse experiência suficiente para fazer partos. Acontece que o irmão de um amigo meu era dono da companhia aérea que faz voos para as Ilhas Chatham. Como o filho dele estava lá e não se sentia bem, ele me pediu que tentasse aconselhá-lo pelo telefone. Querendo retribuir a gentileza, o rapaz me surpreendeu com a oferta de uma viagem até as ilhas. Ao perceber que não havia tempo a perder, perguntei:

– O que você vai fazer no fim de semana?

– Nada – foi a resposta.

Algumas semanas antes, eu havia engessado a perna, fraturada em um salto para o meu iate. Troquei a tala por outra de fibra de vidro, arrumei a mala e segui para as remotas e acidentadas Ilhas Chatham. Como o tornozelo ficava livre, podia dirigir lá.

Uma vez em terra, peguei uma picape emprestada e saí a explorar a costa, em busca de boas ondas e boa pesca: pensamento saudável e estilo de vida saudável. Cheguei a um lugarejo chamado Port Hutt, que deve ser uma das comunidades mais remotas do planeta: um pontinho no meio dos mares do sul.

Ao ver um barco de pesca amarrado no cais, fui até ele, mancando com minha perna quebrada.

– Você deve ser o fiscal – o pescador falou.

– Não! – respondi.

A “central de notícias” funcionava sem parar, e sempre se sabia quem estava para chegar. Ainda assim, ele me ofereceu uma volta em seu barco, para verificar as redes.

As ondas eram pequenas, mas excelentes, e eu estava animado. Quando perguntei por que não se surfava ali, ele riu e puxou a primeira rede, que estava entre a terra e o local onde as ondas quebravam.

Um enorme moki azul – o trompete da Nova Zelândia – veio nela. O peixe apresentava um terrível buraco no corpo, obviamente feito por um tubarão. Tubarões brancos muito grandes, de mais de 6 metros, eram vistos por perto.

Em um curto espaço de tempo, centenas de quilos de peixes de primeira qualidade foram recolhidos, sendo então levados para o único prédio do cais, uma peixaria. Fui convidado a conhecer tudo, e ganhei alguns quilos de imperador e liro antártico, os melhores peixes de águas profundas que se pode imaginar.

Fiquei impressionado ao ver como um lugar tão remoto e isolado podia ser tão acolhedor. Eu tinha vivido em São Francisco durante quatro meses, trabalhando em um hospital. Um dos locais mais populosos do mundo é, para mim, um dos mais solitários.

Toda noite, eu chegava ao meu apartamento, abria as três fechaduras de segurança e entrava. Uma vez ou outra, cruzava com um vizinho e cumprimentava. Quando isso acontecia, ele abria ainda mais rapidamente as fechaduras, para se recolher à sua fortaleza – ou cela, como me parecia.

Nas Ilhas Chatham, não se tranca a casa nem o carro. Na verdade, são poucas as maneiras de sair de lá, e nunca de carro! Mas não me leve a mal. Gosto de São Francisco. Apenas trata-se de uma cidade grande, que pode ser muito solitária quando não se conhece ninguém.

Com uma saca cheia de peixes, fui visitar meu novo amigo – aquele que me emprestou a picape.

Em seguida, voltei para meu quarto no único hotel da ilha. Depois de assistir a um jogo de rúgbi na televisão, fui convidado para uma festa de aniversário de 21 anos. Aceitei, é claro, e atravessei uma distância de 25 quilômetros, até uma parte remota da ilha. A festa estava animada e durou até as 3 da manhã. Não fosse tão longe, teria saído antes. Sem alternativa, porém, esperei por uma carona.

Em conversa, comentei que gostaria de pescar. Às 6 horas, bateram com força na porta do quarto. Cheguei a desejar ter as três fechaduras do apartamento de São Francisco.

– Vai querer pescar ou não? – alguém perguntou em voz bem alta.

Era a "central de notícias" em operação novamente.

– Vou – respondi sem hesitação.

Ainda no escuro, chegamos a outro cais e pegamos um pequeno bote; fomos remando até um barco de pesca. Era inverno e fazia frio. As ondas chegavam a 4 metros. O vento ficou um pouco mais forte, mas eu conhecia o mar e não me intimidei.

– Nunca enjoei – eu disse ao capitão.

– Deve ser porque nunca esteve em um barco bem pequeno, em um mar de ondas bem grandes – ele respondeu.

Bem, as ondas estavam grandes, o barco era pequeno e eu tinha a perna imobilizada. Logo um dos homens enjoou, e descobri que aquela não era uma viagem de turismo. Eu estava lá para trabalhar. Minha função era pegar as sobras de abalone congelado e abastecer com elas uns potes de plástico que eram colocados dentro de dez recipientes que fazíamos descer ao mar, para pegar grandes nedopas da Nova Zelândia – o *blue cod*. Eram peixes tão grandes quanto a minha perna sem a tala. Em um processo conhecido como *codding*, navegávamos em círculos em volta dos recipientes, até pegarmos literalmente uma tonelada de peixe.

Fazia frio. Minhas mãos estavam geladas, não só pela temperatura do ambiente, mas também pelo contado com os abalones. Lamentei não ter aceitado o rum generosamente oferecido na festa da noite anterior. No entanto, os albatrozes, os rochedos escarpados, o mar cinza-esverdeado e o ronco do motor a diesel fizeram tudo valer a pena. Foi difícil sentar no convés com uma perna esticada e limpar os peixes ao mesmo tempo, mas eu consegui. E adorei.

Ao pôr-do-sol, baixamos a âncora, depois de um dia de trabalho. Peguei uma porção de lagosta, pois havíamos conseguido algumas. Fui deixado no hotel, que encontrei escuro e deserto. Havia um bilhete pregado à minha porta:

Caro Tom: Fomos ao outro lado da ilha. Sirva-se. Nós nos vemos pela manhã.

Já que o hotel estava às minhas ordens, abri uma garrafa de vinho *Chardonnay*, acendi o fogo e preparei uma refeição de lagosta. Na manhã seguinte, voei de volta para casa, não sem antes receber um convite: administrar o hospital da ilha durante o verão. Aceitei imediatamente.

Meses mais tarde, voltei às Ilhas Chatham. Passei lá duas semanas, antes da chegada da família. Surfei, mergulhei, pesquei, cliniquei e aproveitei a vida. Vivi o presente. Tenho uma fotografia do momento em que meus filhos, depois de descerem do avião, corriam ao meu encontro. A imagem vale mil palavras para explicar a alegria de ver o papai e imaginar uma nova aventura.

> TIVEMOS UM VERÃO QUE SERÁ ETERNO. MEUS FILHOS VIVIAM EM COMPLETA LIBERDADE. O PENSAMENTO SAUDÁVEL ME LEVOU LÁ. NÃO FOSSE POR ISSO, QUEM SABE...

Passamos um mês juntos nas ilhas, e foi um período mágico. Será sempre um tempo absolutamente especial, aconteça o que acontecer. Fizemos muitos amigos. Aproveitei para surfar, apesar do medo dos grandes tubarões brancos. Prestei atendimento domiciliar a moradores de ilhas afastadas, aonde chegava em barcos usados para a pesca da lagosta. Nadávamos, pescávamos e brincávamos até o sol se pôr. Tivemos um verão que será eterno. Mergulhei para pegar abalones e lagostas, encontrei fósseis e dentes de tubarão, e meus filhos viram albatrozes e entalhes em madeira feitos por seus ancestrais. Eles viviam em completa liberdade. Difícil imaginar tempo ou lugar melhores. O pensamento saudável me levou lá. Não fosse por isso, quem sabe...

Passados dois anos do meu divórcio, achei que era hora de tentar um novo relacionamento. Depois do período de recuperação, sentia-me pronto para lidar com o sexo feminino. Como vivo em uma pequena comunidade rural, eu sabia que eram poucas as chances de encontrar uma Julia Roberts local. Também não queria me relacionar com alguém que morasse tão perto, para que meus filhos não fossem afetados, caso soubessem.

Já que havia criado uma empresa que funcionava on-line, decidi tentar um encontro pela internet. Para mim, fazia sentido, pois ficaria à vontade depois que as crianças dormissem. Escolhi um site sério, mandei uma foto e esperei. Também cliquei em alguns perfis, inclusive o de uma princesa espanhola que, por coincidência, era parecida com Julia Roberts.

Começamos a nos comunicar. Depois de seis meses de e-mails e telefonemas, eu estava pronto para assumir o risco. Aluguei um iate, também por meio da internet, e decidi visitar a ilha de Maiorca com ela. Para testar as águas, por assim dizer.

Na Nova Zelândia, era um dia frio de inverno, e um dos meus amigos comemorava aniversário. Assim, aproveitamos para fazer uma reunião, enquanto esperávamos o táxi que me levaria ao aeroporto, a caminho da Espanha. Imagine as brincadeiras e provocações, para derrubar a minha confiança, que tive que aturar...

– Como você sabe se ela não é homem?

– Se for, a viagem vai ser curta – respondi.

– Como você sabe se a fotografia dela não é montagem? – perguntou outro, rindo.

– Não sei. Mas vou descobrir.

Eles eram só risadas, quando o táxi chegou, para a primeira fase da viagem que me levaria da Nova Zelândia a Barcelona. Tive a sorte de conseguir um upgrade para a primeira classe, e falei:

– Vou dizer uma coisa. Vocês fiquem aí na chuva, rindo de mim. Eu vou de primeira classe para o calor da Espanha, passar uma semana no mar com uma princesa espanhola!

Eles perceberam a verdade do que eu tinha dito e ficaram abalados. Melhor correr atrás do meu sonho.

Daí a duas semanas, eu velejava em uma baía de águas perfeitas. Fazia calor. O sol acabara de nascer, e minha autêntica amiga espanhola ainda dormia. A foto que vi na internet não era montagem, e nos demos muito bem.

De repente, pensei nos meus filhos e senti culpa. Seria eu um mau pai, ali, me divertindo longe deles? Hora de praticar um pouco de álgebra emocional.

Eu estava mesmo sendo um mau pai?

Não!

Aquela ideia contribuía para que eu alcançasse meu objetivo?

Não!

A ideia faria alguma diferença para as crianças?

Não!

Então, mudei meu pensamento para:

Em dois dias, estarei de volta ao inverno da Nova Zelândia. A casa vai estar desarrumada. Vou ter muito o que fazer. As crianças esperam que eu chegue sorridente e que leve presentes. O fato de me sentir culpado não faz diferença alguma hoje. Eles nem vão saber, e vou estragar o passeio. Eu poderia optar por ficar mal, mas eles não se sentiriam melhor por isso. Mereço férias. Quando eu era criança, meus pais viajavam de vez em quando. Se ainda estivesse casado, ia querer viajar com a minha mulher. Na verdade, fizemos isso.

Existe uma diferença entre culpa e consciência. Na minha opinião, a culpa, tal como o ciúme, é completa perda de tempo. Se o seu parceiro escolhe estar com outra pessoa, é por uma boa razão. Melhor aceitar o fato e seguir com a vida.

Assim, ao mudar meus pensamentos, mudei meu sentimento. Olhei para os castelos nas colinas e para os barquinhos de pesca a estibordo, e me senti vivo. Minha cara fechada foi substituída por um sorriso. Aproveitei o dia. Meus filhos estavam bem.

Depois de testar as águas espanholas, voltei para casa, feliz, mas certo de que ainda não estava pronto para assumir um compromisso.

Frequentemente, vejo gente que substitui um relacionamento doentio por outro, pelo simples medo de ficar só. Primeiro, você tem de gostar de si e de estar consigo. Seja otimista. Acredite que vai encontrar alguém. Às vezes, esse alguém é você.

> É FÁCIL DIZER DEZ COISAS QUE NOS DEIXAM TRISTES, MAS ÀS VEZES CUSTAMOS A LEMBRAR DEZ COISAS QUE NOS FAZEM FELIZES.

É fácil dizer dez coisas que nos deixam tristes, mas às vezes custamos a lembrar dez coisas que nos fazem felizes. Indivíduos francamente otimistas têm vida 19% mais longa do que os pessimistas. Otimismo faz bem à saúde. E quanto mais você pratica, mais hábil se torna. Um dos aspectos que as pessoas mais negligenciam é a saúde.

De vez em quando, preciso dizer a um paciente que ele tem pouco tempo de vida. Ver alguém mudar de atitude nos últimos dias nos torna mais humildes, mas também nos lembra de que não devemos fazer isso somente quando "a hora está chegando". É muito melhor mudar de atitude porque se quer, e não por que se é praticamente obrigado. A ferramenta que desenvolvi mostra às pessoas como estão pensando e como isso afeta suas emoções, seu comportamento e sua produtividade. A álgebra emocional é um recurso para reconhecer pensamentos e mudá-los, alcançando assim uma vida mais produtiva e feliz. Se precisar refrescar a memória, leia novamente a segunda parte.

Seja impulsivo.

Faça o que sempre quis fazer.

Assuma alguns riscos e divirta-se, ao mesmo tempo.

Outro exemplo de mudança de atitude para lidar melhor com a situação, em vez de tentar mudar a própria situação, aconteceu durante uma recente viagem que fiz a Fiji, na companhia de Mike King, de quem já falei.

Tive que viajar na classe econômica. Alto como sou, em geral viajo na classe executiva. Fujo do aperto em que as pessoas são colocadas, como um rebanho. Acostumei-me ao luxo de ter espaço de sobra, boa comida e vinhos finos. Naquele dia, porém, a classe executiva estava lotada. Assim, arrastei-me pelo corredor como um urso com a pata machucada, à procura do assento junto à janela de emergência, que normalmente é mais espaçoso. Não em um 767. Meus joelhos ficaram literalmente espremidos.

Para piorar, a janela de emergência era tão pequena, que, tenho certeza, se houvesse necessidade, eu não passaria por ela; o rapaz sentado ao meu lado, de uns 19 anos, não parava de fazer perguntas; e a tela onde são projetados os filmes ficava a uns 60 centímetros à minha frente, mas 1 metro à esquerda, o que dava uma péssima visão. Por que não reservei a passagem mais cedo?

Minhas ideias fizeram disparar o alarme do pensamento doentio. O desapontamento que eu sentia não aumentava o espaço nem reduzia o tempo de voo. Eu podia passar três horas sentado como uma criança amuada, desejando estar em outro lugar, ou adotar uma atitude diferente e aproveitar.

Assim, tirei os fones de ouvido e comecei a falar e ouvir. Na parte de trás do avião, a atitude era completamente diferente. Eles estavam lá para se divertir. Meu extrovertido vizinho chamou a comissária de bordo e pediu bebidas para ele e para mim. Eu não lembrava que fosse assim. Em vez do enfado e do tédio lacônico da contida classe executiva, havia o entusiasmo dos "marinheiros de primeira viagem", felizes com a nova aventura.

Claro que todos estavam apertados, e a comida não era tão boa, mas as pessoas se divertiam e não tinham medo de rir. Fiquei satisfeito de me juntar a eles. Mudei de atitude e ajustei meu relógio interno. Não fosse assim, teria perdido uma festa e tanto.

Não quero desmerecer aqueles que usam a classe executiva, mas o excesso de movimentação não é visto com bons olhos na parte da frente. Talvez eu tente, na próxima viagem. Quem sabe os passageiros gostariam? Portanto, se você vir um grandão careca procurando injetar um pouco de entusiasmo na classe executiva, pode ser que seja eu!

Meu trabalho na *Attitude Doctor (www.theattitudedoctor.com)* vai muito bem. Sou bastante solicitado como palestrante motivacional. Fui contratado para uma temporada de seminários em 12 cidades da Nova Zelândia, patrocinada pela *Microsoft,* pela *Hewlett Packard* e pela *Telecom,* através da Câmara de Comércio. Esta é, para mim, uma ótima oportunidade de eliminar um bocado de pensamentos doentios e de ajudar muitas empresas a crescer. Em um curto espaço de tempo, por meio de um excelente fórum chamado *Business Club (www.businessclub.co.nz),* falei para muitos funcionários e corporações, e minhas oficinas sobre estresse, emoções e sucesso são bastante procuradas. É incrível o poder do pensamento saudável.

QUEM DISSE QUE QUEM ESPERA SEMPRE ALCANÇA COM CERTEZA NÃO PERTENCIA AO MUNDO DOS NEGÓCIOS. EU DIGO QUE AS COISAS BOAS CHEGAM PARA OS QUE VÃO À LUTA!

Poder falar de um tema em que acredito apaixonadamente é a realização de um sonho. Quem disse que quem espera sempre alcança com certeza não pertencia ao mundo dos negócios. Eu digo que as coisas boas chegam para os que vão à luta!

É o que tenho feito. Em todas as oportunidades, falo do pensamento saudável e promovo oficinas sobre o tema, aproveitando para aconselhar pequenos ajustes na atitude daqueles com quem trato, se necessário. Isso também é fazer a diferença.

Minhas inúmeras palestras sobre o poder do pensamento saudável têm me levado a locais que jamais imaginei conhecer. Foram muitos os que me incentivaram a escrever este livro, e muitos os que se beneficiaram dele. O pensamento saudável é simples, mas eficiente.

É incrível o poder do pensamento saudável.

O pensamento saudável vai levar você a lugares com que jamais sonhou.

Tenho como objetivo ser um palestrante motivacional e comediante bem-sucedido. Meu comportamento precisa refletir isso. Minha atitude deve ser a de aceitar críticas. Quando as pessoas me dizem que fiz algo errado, aproveito a oportunidade para melhorar. Não pratico o jogo da culpa nem o jogo da negação. O *feedback* é importante em todos os setores da vida. Quando você está diante de uma plateia, as perguntas são um tipo de *feedback* imediato, e um excelente meio de aperfeiçoamento das habilidades.

PARTE 4

Comportamentos de Sucesso

Capítulo 14

O QUE É SUCESSO?

Você descobriu o pensamento saudável, usou a álgebra emocional e adotou uma atitude. Agora, você tem suficiente controle da vida para procurar o sucesso – para viver os seus sonhos e objetivos. Não abandone os seus sonhos como se fossem alucinações impossíveis. Aja para realizá-los por meio do pensamento saudável, da álgebra emocional e do comportamento orientado para o sucesso.

O sucesso é relativo. Quanto maior o sucesso, maior a relatividade.

Podemos definir o sucesso de várias maneiras. Quando conto aos grupos como consegui criar tantas empresas e oportunidades na vida, uso os dez Cs do sucesso, que vamos ver no próximo capítulo. Esta é a minha receita. Ela continua a dar certo, para mim e para os outros. Mas, se preferir, crie a sua receita – alguma coisa que funcione, na busca dos seus objetivos.

As pessoas, em geral, pensam: "Vou ser feliz quando comprar um carro novo, um iate de luxo ou uma roupa bonita."

Você pode ser feliz mesmo antes de conquistar o seu objetivo. Pode encontrar satisfação nos esforços. Às vezes, o prazer está na jornada. Não se esqueça disso.

O dinheiro é um indicador comum de sucesso. Dinheiro é bom, mas também traz problemas, tal como a falta dele.

Bons amigos são outro indicador-chave. Conheço gente muito rica que reclama da falta de amigos. Essas pessoas dizem encontrar apenas quem se junte a elas por causa do dinheiro e do estilo de vida. Ficam quase paranóicas; desconfiam dos motivos de qualquer um. Não sabem se os "amigos" gostam delas ou de "levar vantagem".

Se você não tem dinheiro, não tem esse problema. Pode ter certeza de que os amigos estão aí por sua causa.

Um dos meus indicadores-chave é o tanto que você pode melhorar a vida dos outros. Todo dia, ao deixar meus filhos na escola, pergunto:

QUEM PRECISA DE INIMIGOS? A GENTILEZA TRAZ RECOMPENSAS INTERNAS E EXTERNAS.

– Eu já disse hoje quanto amo vocês?

– Mais do que tudo em todo o Universo! – é a resposta.

– Isso mesmo. Agora, lembrem-se de ser gentis e sorrir para todos que encontrarem.

– Certo, papai. Nós te amamos!

Mas não me entenda mal. Existem dias em que nem tudo acontece assim – quando estamos atrasados e nervosos. Certa vez, estávamos de saída para a escola, e minha filha tentava cobrir de açúcar um bolo que tinha feito. Ela não ouviu o que eu disse e acabou espalhando açúcar pelo chão. Por alguns segundos, perdi a paciência.

Felizmente, a álgebra emocional mudou a situação. Eu me recuperei, pedi desculpas, e fizemos as pazes. Mais uma vez, fiquei olhando meus filhos entrarem na escola. Estamos desenvolvendo atitudes e estratégias para evitar que a situação se repita. Se minha mãe derramasse açúcar no chão, eu não ficaria estressado, provavelmente porque ela mesma faria a limpeza.

O que quero dizer é: quem precisa de inimigos? A gentileza traz recompensas internas e externas. Recentemente, ao voltar de Fiji, encontrei no aeroporto uma amiga que me contou o seguinte: a garçonete de um restaurante havia pedido a ela que, na próxima viagem a Fiji, trouxesse sapatos para sua filha. Minha amiga ficou surpresa e sentiu-se desconfortável com o pedido, que não pretendia atender. Eu disse a ela que não estava de acordo. Seria uma oportunidade de fazer felizes uma garotinha e sua mãe – sinal de sucesso. Além da satisfação de poder oferecer sapatos a quem precisa, ela talvez tivesse prioridade e fosse mais bem atendida no restaurante.

Descobri que sempre recebemos pelo menos o dobro do que damos. É uma questão de multiplicação. Mas não esqueça: duas vezes zero é igual a zero.

Nem sempre é possível, porém, medir o sucesso em termos palpáveis. O sucesso pode ser representado pelo modo como você se sente e pela alegria do momento. Lembre que o tempo não volta. Um dia, minha filha vai ter a própria casa. O açúcar que ela derramou no nosso chão foi limpo. Espero que ela guarde na memória que eu pedi desculpas pela zanga, que nos beijamos e conseguimos que ela entrasse na escola sentindo-se especial.

Anos atrás, ao fim do documentário *60 Minutes*, ouvi a pergunta:

– Qual é o seu próximo objetivo?

– Ser técnico do time de rúgbi da sexta série – respondi.

A morte é somente a parada do coração. Vi a morte de frente várias vezes: quando sobrevivi a uma onda gigante de água e a outra onda gigante, a da depressão, além de várias perdas sofridas entre as duas.

Não se esqueça de que o passado vive apenas na sua memória, e o futuro está na sua imaginação. Aproveite o agora, que é real. Não desperdice a vida. Desfrute a jornada, siga o fluxo e tire o máximo de cada oportunidade. Lembre-se das opções de que dispõe e tenha uma vida emocionante.

Ria, e vai sentir-se melhor – e os que convivem com você também vão. Rir é o melhor remédio. O riso contagia, e está provado que melhora a resposta imunológica.

Estamos sempre correndo. Aprenda a parar e ouvir. Ouça-se e ouça o que os outros têm a dizer. Ouça os seus filhos. Ouça o vento, o sussurro das folhas, o som do tráfego e as batidas do seu coração. Aproveite cada momento. Mantenha-se saudável com o pensamento saudável.

Capítulo 15

OS 10 C'S DO SUCESSO

Os dez Cs do sucesso podem ser aplicados a qualquer objetivo: a criação de uma empresa, a escolha do parceiro, o relacionamento com os pais ou os filhos, ou a conquista da medalha olímpica. Eles podem ser chamados os dez mandamentos do sucesso na Era Moderna. Uma das minhas mais populares oficinas gira em torno dos dez Cs. Eles são a fórmula do sucesso, seja nos negócios ou na vida pessoal.

Recentemente, fiz um seminário e não mencionei os dez Cs. Fiquei impressionado quando uma participante se dirigiu ao quadro e os escreveu, na ordem correta. Ela disse ao grupo para adotar aquelas diretrizes, de que tinha tomado conhecimento em um seminário anterior e que considerava poderosas. Com uma piscada de olho, eu disse que ficava muito satisfeito, mas contava na verdade 11 Cs. O 11º. era o *copyright* - direito autoral!

Os dez Cs estão listados a seguir:

1. Construção
2. Competência
3. Coragem
4. Comunicação
5. Charme
6. ComPAIXÃO
7. Confiança
8. Controle

9. Compromisso
10. Contentamento

Vamos abordar rapidamente cada um deles.

1. Construção

Você precisa construir um plano – uma visão do que quer e como chegar lá. O plano de negócios ou de objetivos pessoais é o primeiro passo. Como já vimos, é preciso identificar as atitudes que vão levá-lo aonde deseja ir.

Se não conseguir o que quer, mude de atitude. Não faltam programas de computador, livros, mentores e coaches que podem ajudá-lo a elaborar um plano de negócios.

Aprendi uma das melhores lições da minha vida quando me candidatei pela primeira vez a um prêmio para empresas. O plano de negócios que eu trazia na cabeça não foi suficiente para os juízes. Um documento formal ajuda na estratégia e na orientação, além de informar os outros sobre o que se pretende. É um pré-requisito, caso você queira obter financiamento ou capital de risco.

2. Competência

Duvido que algum dia eu alcance o sucesso como pintor ou cantor de ópera. Sou incompetente nas duas atividades. Embora aperfeiçoamento e treino possam ajudar, o indivíduo precisa ter talento na área em que quer ser bem-sucedido.

Isto pode parecer óbvio, mas em minha atividade de mentor, tenho encontrado pessoas que, apesar da pouca capacidade em determinada área, escolhem exatamente esta para tentar o sucesso. Embora eu acredite que se pode conseguir qualquer coisa com determinação, a tarefa fica muito mais difícil quando não se possui, pelo menos, competência básica. Em muitos casos, o caminho que oferece menor resistência é o mais fácil de seguir.

Ao elaborar um plano para uma nova empreitada, anote o que você faz bem e o que gosta de fazer. Esse processo ajuda a identificar nichos de mercado a serem criados ou ocupados. Se você é *chef* e gosta do idioma francês, pode viajar para a França e se especializar em cozinha francesa. Se gosta de motocicletas e é professor, pode abrir uma escola para formar motociclistas. Todas as ocupações apresentam uma dificuldade à entrada, geralmente baseada em competência, treinamento e qualificação.

O SUCESSO CHEGA MAIS RÁPIDO QUANDO VOCÊ NÃO PRECISA SE REINVENTAR INTEIRAMENTE.

Se você se cansou do seu atual trabalho, talvez seja melhor experimentar novos nichos dentro do setor ou pôr em prática as habilidades que adquiriu na sua área de atuação. O sucesso chega mais rápido quando você não precisa se reinventar inteiramente.

Qualidade também é fator necessário ao sucesso, mas torna-se difícil de alcançar quando falta competência. Se for esse o seu caso, procure treinamento ou cerque-se de pessoal competente.

3. Coragem

Coragem é muito importante. Às vezes, é preciso arriscar. Às vezes, é preciso alterar a direção, pensar diferente e experimentar novas estratégias. Isso pode causar desconforto em pessoas acostumadas aos mesmos comportamentos. Talvez você se sinta desconfortável. Se acredita na direção que tomou e no resultado que procura, tenha a coragem de manter essa convicção.

Coragem e autoconfiança sólidas são fatores essenciais em tempos difíceis. Foi preciso coragem para fazer muitas coisas que fiz – escrever este livro e admitir que sofri de depressão, por exemplo. Quando comecei, não tinha a intenção de produzir um livro, mas quanto mais escrevia, mais sentia que tinha que fazer isso. É preciso coragem para vencer a depressão. Esconder só serve para piorar.

Quando resolvi fazer graça diante de 850 pessoas, a plateia ficou tão impressionada com a minha coragem quanto com as piadas. A coragem também é importante para a honestidade e para a capacidade de rir de si mesmo. E é essencial quando se vai admitir um erro ou um engano.

4. Comunicação

A experiência adquirida nos vários anos em que exerci a administração de uma clínica movimentada me fez entender a importância da comunicação. Cerca de 95% das reclamações acerca de médicos referem-se à comunicação. Em geral, os pacientes ou as famílias não entendem o que vai acontecer, o que esperar e o que fazer.

Está bem documentado o fato de que dificuldades de relacionamento na vida profissional ou pessoal são causadas geralmente por falta de comunicação efetiva. É de vital importância que o mercado, os colegas e os amigos entendam o que se passa.

Você viu que o pensamento doentio é causado por ideias doentias. Essas ideias são frequentemente criadas ou alimentadas por comunicação deficiente ou mal-entendidos. Escolha com cuidado as suas palavras. Uma estratégia de comunicação é ferramenta necessária ao sucesso.

5. Charme

Quer você goste ou não, o charme é um importante ingrediente do sucesso. Se você quiser vender, seja um produto, um serviço, uma ideia ou a sua imagem, o charme ajuda. É importante despertar nas pessoas afeição e respeito. Muitos possuem um charme, um encanto natural. Outros precisam trabalhar essa característica.

O charme não é uma qualidade trabalhosa. Um sorriso, um pouco de humor e um interesse genuíno pelos outros fazem de você uma pessoa encantadora. Tal como todos os comportamentos que levam ao sucesso, o charme deve ser apropriado à situação. O exagero pode produzir resultado contrário ao esperado.

O charme deve ter como base a honestidade e o desejo de ser agradável. Deve ser parte normal de uma personalidade íntegra. Distribuir encanto, e depois propor um mau negócio ou apunhalar alguém pelas costas, é uma atitude que em nada contribui para o sucesso a longo prazo.

6. ComPAIXÃO

Os seres humanos são basicamente iguais, em sua maioria. Todos cometemos erros; todos buscamos perdão e compaixão. Como médico, tenho contato frequente com gente inconformada – com a situação, com a doença ou com o sistema. Muitas vezes, as pessoas estão inconformadas com elas mesmas.

Lembro-me de uma mulher tão ressentida que maltratava todos que se relacionavam com ela. Eu lhe disse simplesmente:

– Deve ser terrível carregar tanto ressentimento.

Meu comentário não foi sarcástico; apenas compassivo. Ela parou. Em seguida, concordou e começou a chorar.

> SE VOCÊ NÃO ACREDITA NO QUE FAZ, COMO OS OUTROS VÃO ACREDITAR?

As emoções doentias de que já falei podem levar a pessoa a se abater. Elas provocam o jogo da culpa. Os pensamentos começam a sugerir que os outros são responsáveis pelo seu ressentimento – e não que ele vem de dentro de você. Ao encontrar essa barreira, o instinto manda que você responda defensivamente. A meu ver, a compaixão é uma arma poderosa. Quando você se compadece, ajuda-se e ajuda o outro.

Na palavra "compaixão", a PAIXÃO é importantíssima. Se você não acredita no que faz, como os outros vão acreditar? Eu tenho paixão pelo pensamento saudável. É simples, mas funciona. Tenho certeza. Se não acreditasse apaixonadamente, não poderia escrever este livro, fazer palestras, seminários ou oficinas.

Às vezes, quando encontro dificuldade em me expressar ou redigir um parágrafo, eu me lembro de como sou apaixonado. A centelha reacende a chama. Isto se aplica a qualquer situação.

Se você não sente paixão por alguém ou por alguma coisa, procure descobrir por quê. Analise o seu plano. Se a centelha não surgir, talvez seja o momento de tentar outra estratégia ou outra atitude. Mas se a chama estiver apenas enfraquecida por falta de combustível, você sabe o que fazer.

7. Confiança

A confiança vem do conhecimento do assunto ou do autoconhecimento.

Algumas pessoas parecem trazer desde o nascimento um grande estoque de confiança. Mas na maior parte dos casos, a confiança se assenta sobre uma boa base. Sem isso, ela se aproxima da arrogância ou da tolice. A confiança precisa estar baseada em fatos. O sucesso depende do tanto que a confiança reflete a capacidade.

Aumente a sua confiança, e a sua capacidade vai crescer. Aumente a sua capacidade, e a sua confiança vai crescer. As duas estão diretamente relacionadas.

Fazer comédia sozinho no palco me ensinou a ter confiança, com certeza. Quando você sente que não é capaz, perde a confiança automaticamente, o que cria ansiedade, impedindo o desempenho. Essa ansiedade é sutilmente transmitida à outra pessoa – o que não é nada bom, caso você precise de sua ajuda.

Saiba quem você é, treine bastante, prepare-se e confie na sua capacidade. Essa confiança vai aparecer e levar ao sucesso.

8. Controle

O pensamento saudável está ligado ao controle das ideias, que controlam as emoções. Lembre que não existe emoção sem ideia. Reconheça a emoção e controle a ideia. Mude a ideia para mudar a emoção.

> VEJO O OBJETIVO COMO O COMANDO DE UM BARCO. DURANTE O PERCURSO, ACONTECEM TEMPESTADES, GRANDES ONDAS E VENTOS FORTES, DEFEITOS NA EMBARCAÇÃO E NEBLINA. NO ENTANTO, MAIS CEDO OU MAIS TARDE, ELA VAI ALCANÇAR ÁGUAS TRANQUILAS."

Existem outros fatores que necessitam de controle. O crescimento em empresas iniciantes é um deles. Você pode ter 1 quilômetro de extensão e ser muito estreito. Sei por experiência própria. Concentre o controle em determinada área. Como empresário, preciso controlar minhas ideias e, às vezes, meu entusiasmo. É fácil partir em várias direções ao mesmo tempo, em vez de manter uma só.

O controle de gastos e do consumo de recursos é importante. Para dizer a verdade, controle é essencial.

9. Compromisso

Às vezes, é mais fácil desistir. Às vezes, é preciso desistir. Mas, se você acredita no seu objetivo e quer alcançá-lo, precisa ter compromisso. Isso quer dizer não desistir, embora tenha vontade de fazer isso. Talvez seja necessário mudar de atitude e de comportamento para chegar lá, mas siga em frente.

Comprometer-se é tarefa árdua. Vejo o objetivo como o comando de um barco. Durante o percurso, acontecem tempestades, grandes ondas e ventos fortes, defeitos na embarcação e neblina. Todos esses fatores podem atrasar a viagem ou fazer você errar o caminho. No entanto, mais cedo ou mais tarde, vai alcançar águas tranquilas.

Quem é velejador conhece a sensação de ver o sol sair e secar toda a roupa molhada no corpo. Sabe o que é chegar a uma baía e colher as recompensas. Não pule do barco só porque as coisas estão difíceis. Procure aproveitar a viagem. O que é bom fica muito melhor quando exige esforço.

Quem tem filhos também entende o que digo. Quantas vezes você se desespera e se pergunta como pôde colocar aqueles monstrinhos no mundo? Em outras ocasiões, porém, você se enche de orgulho e satisfação ao ver as crianças crescerem a aprenderem a se comportar.

Para colher as recompensas, há que se ter compromisso. Sempre tive a mesma visão do casamento. Eu esperava tempestades e tempo ruim, mas imaginava à frente baías de águas calmas e o calor do sol. Como creio em compromisso, quando disse "até que a morte nos separe", eu acreditava nisso.

É mais difícil comandar sozinho o barco da família. Quando crescem, os filhos podem ajudar e dirigir, também. Às vezes, você precisa de auxílio. As baías de águas calmas, os sorrisos e o amor valem a pena. A tarefa árdua do compromisso tem recompensas.

10. Contentamento

Sentir-se contente é aproveitar a viagem. Você deve ser feliz no momento, pois nada mais existe. Se mantiver o foco em um lugar distante para onde se dirige, sem ao mesmo tempo aproveitar a viagem, você se arrisca a perder boa parte da vida.

Tome uma direção, mas desfrute o que vê e encontra ao longo do caminho. Você nunca mais vai ter a aparência e a idade que tem hoje. Aproveite ao máximo. Faça uma lista de coisas boas que possui. Se tem saúde, coloque em primeiro lugar. Pela minha experiência de médico, sei que muitos não dão à saúde a devida importância.

Para alcançar o sucesso, você deve apreciar o que tem, e não sentir-se infeliz pelo que não tem. O momento é seu. Faça-o o melhor possível.

O futuro está na sua imaginação.

Quem sabe o que o futuro trará? Pretendo aproveitar, qualquer que seja ele. Meu objetivo a longo prazo é dar a volta ao mundo por mar.

Na próxima semana, eu e minha ex-mulher vamos levar as crianças para esquiar – férias em família. Quem sabe aonde a estrada nos levará? Provavelmente à pista de esqui!

Não se esqueça de aprender e praticar a álgebra emocional.

Tenha uma vida longa e próspera.